Pulpet i Prudencja

Joanna Olech

Pulpet i Prudencja
Smocze Pogotowie Przygodowe

Pulpeta i Prudencję (z natury)
rysowała autorka

Wydawnictwo Znak
Kraków 2010

Projekt graficzny i okładka
Kuba Sowiński

Fotografia autorki na 4. stronie okładki
Grzegorz Olech

Ilustracje
Joanna Olech

Adiustacja
Małgorzata Biernacka

Korekta
Barbara Gąsiorowska
Aurelia Hołubowska

Łamanie
Katarzyna Leja

ISBN 978-83-240-1366-1

Książki z dobrej strony: www.znak.com.pl
Społeczny Instytut Wydawniczy Znak
30-105 Kraków, ul. Kościuszki 37
Dział sprzedaży: tel. (12) 61 99 569
e-mail: czytelnicy@znak.com.pl

Nazywam się Prudencja i jestem hersztem piratów. Kiedy tupnę drewnianą nogą, drżą przede mną chłopy jak dęby, a złodzieje i nożownicy moczą majtki ze strachu. Wieści o moich zuchwałych rabunkach obiegły świat. Sztaby złota służą mi za przyciski do papierów, a zrabowanymi brylantami puszczam kaczki na wodzie. Moja zbójecka melina mieści się na bezludnej wyspie u ujścia rzeki Świder.

Okej, okej... zmyślałam. To nasza rodzinna tradycja. Od zmyślania pyszczki nam się wydłużają i cierpną ogony.

Tak naprawdę jestem smokiem. To znaczy... smokiem dziewczyną. Albo „samicą smoka", jak powiedziałby doktor Rąbek (zgodzicie się chyba, że to brzmi okropnie).

Moje imię pochodzi z łaciny i oznacza „ostrożność" albo „rozwagę". Nie mam pojęcia, skąd ten durny pomysł. Przypuszczam, że rodzice spodziewali się jednego dziecka, a nie bliźniąt. Wybrali dla niego – całkiem rozsądnie – imię Pulpet (tak nazywa się mój brat).

Tymczasem urodziło się nas dwoje. Zapewne w pośpiechu, na wariata, szukali imienia dla drugiego dziecka. I stąd ta „Prudencja", niech to kaczka kopnie!

Nie widzicie problemu? Ha! To spróbujcie zdrobnić moje imię. Prudzia? Dencia?... Śmiało! Wysilcie swoje szare komórki! Czy są jakieś lepsze propozycje?... Nie ma?

No właśnie!

Nie wiem, czy macie pojęcie, jak to jest mieć brata bliźniaka.

Generalnie rodzeństwo to jest niezły wynalazek. No wiecie, braterska solidarność... te rzeczy... Ale z Pulpetem sprawy mają się zupełnie inaczej.

Kiedy jesteś bliźniakiem, zwłaszcza bliźniakiem-bliźniaczo-podobnym, wszyscy oczekują, że będziesz wierną kopią brata. Podsuwają ci ciastka, które on lubi, kupują ten sam fason adidasów i dziwią się, kiedy odmawiasz wyjazdu w góry, które on uwielbia. W szkole sadzają cię w tej samej ławce i nie mogą pojąć, czemu dostajesz pałę z klasówki, którą on napisał na piątkę. Słowo daję, flaki mi się przewracają za każdym razem, kiedy muszę tłumaczyć, że nie jesteśmy jednym organizmem. Trudno o dwie bardziej różniące się od siebie osoby niż ja i mój brat. Mamy takie same nosy, takie same uszy, takie same oczy... ale na tym koniec podobieństw.

To, że jesteśmy smokami, tylko komplikuje sytuację. Wszystko wskazuje na to, że jesteśmy jedyni na świecie. Raptem cztery sztuki – Mama, Tata, Pulpet i ja. Ludzie oczekują, że będziemy jak smoki z bajki – wszyscy tacy sami.

Mieszkamy w Smoczej Jamie. Jeśli byliście w Krakowie na wycieczce szkolnej, to pewnie pamiętacie tę jaskinię pod Wawelem. Trochę tam ciemno i wilgotno, prawda? I zalatuje pleśnią. Zastanawiacie się, jak można tam mieszkać? Spokojna głowa. Może zauważyliście w głębi drzwi z napisem: „Przejście służbowe. Tylko dla personelu". Za tymi drzwiami są kręte schodki w górę. Dalej – długi korytarz prowadzi do naszego mieszkania. Na końcu – drzwi z kołatką w kształcie smoczej głowy (prezent od babci Fiś). To tu mieszkamy. Całkiem przyjemne miejsce, słowo daję. Dwa pokoje z kuchnią, meble ze Smyka, wanna z bąbelkami, spora biblioteka, nowa wykładzina dywanowa. Ognioodporna. W poprzedniej Tata niechcący wypalił dziurę podczas transmisji meczu Wisła–Cracovia.

Mój Tata zionie ogniem. U nas, smoków, to normalka. Chociaż Mama mówi, że zianie jest prostackie i w złym guście. Może i tak, ale bywa bardzo przydatne. Zwłaszcza kiedy trzeba zrumienić grzankę albo załatać dętkę rowerową (jeśli wiecie, co to wulkanizacja). Od grzanek w naszym domu jest Pulpet, a od naprawy roweru – to raczej ja. Mój brat ma różne dziewczyńskie talenty, a ja – wręcz przeciwnie. Umiem wyregulować obroty w skuterze doktora Rąbka, z zamkniętymi oczami rozpoznaję każdą markę samochodu po gangu silnika, a nie dalej jak tydzień temu zreperowałam sąsiadce radio Szarotka. Jak dorosnę – zostanę strażakiem. To znaczy... strażakiem dziewczyną. No bo przecież nie „samicą strażaka", prawda?

Swoją drogą, najwyższa pora zadbać o żeńskie końcówki!

Oboje z Pulpetem chodzimy do podstawówki na ulicy Dragonów. Dopiero całkiem niedawno dowiedziałam się, że nazwa ulicy nie pochodzi od smoków (ang. *dragon*), tylko od kawalerii. „Dragon" to taki facet na koniu, uwierzycie? Phi!

Jesteśmy pierwszym pokoleniem smoków, które chodzą do szkoły. Nasi rodzice są samoukami. Czy to znaczące, że słowo „samouk" jest bardzo podobne do słówka

„smok"? Wiedza moich rodziców jest... hm... dziurawa jak ser szwajcarski. Tata nie ma pojęcia, kim była Maria Konopnicka, nie zna wzoru na pole trapezu i nie słyszał o bogactwach naturalnych Senegalu, ale rozpoznaje dwa tysiące gatunków owadów i potrafi je nazwać po łacinie. Na dodatek świetnie imituje głosy zwierząt, a w szachy gra jak sam Kasparow.

Mama z kolei zapamiętuje bez problemu dwunastocyfrowe liczby, zna język suahili i potrafi żonglować pięcioma piłeczkami. Że nie wspomnę o jej kisielu żurawinowym, który jest najlepszy na świecie.

Natomiast kiedy trzeba poprawić wypracowanie z polskiego – moi rodzice są zupełnie bezużyteczni. Tata nie ma pojęcia o ortografii (na pocztówce świątecznej do Fisiów napisał „gwiastka" – przez „es" i „te"!!!), a Mama do każdego wypracowania dorzuca smoka albo układa nową listę lektur szkolnych: *Anaruk – smok z Grenlandii*, *O smoku, który jeździł koleją*, *Smoki z Bullerbyn*, *Akademia Pana Smoka*...

Do szkoły mamy niedaleko, raptem dwie przecznice, ale i tego wystarczy, żeby zrobić zbiegowisko. Powiem nieskromnie, że jesteśmy dosyć sławni. Miejscowi już nas znają i tylko machają przyjaźnie z daleka. Gorsza sprawa z przyjezdnymi – ci smoka na oczy nie widzieli. Najpierw się gapią i trącają łokciami, a potem – dawaj wyciągać aparaty i – pstryk! pstryk! – po oczach. Czasami któryś próbuje skubnąć łuskę z ogona – dla tych jesteśmy bezlitośni. Bywa, że Pulpet draśnie takiego natręta pazurkiem albo szczypnie boleśnie w zadek. Ja opędzam się piórnikiem. A piórnik mam solidny, drewniany...

Zasadniczo jesteśmy pacyfistami. Ale trudno uniknąć przemocy, kiedy trzeba stawić czoło czterdziestoosobowej wycieczce Zespołu Szkół Zawodowych z Węcierzyc. Uwierzcie mi – nie jest lekko być mniejszością gatunkową.

No choćby wczoraj – idziemy sobie Plantami... Pulpet kręci młynka workiem z kapciami, ja przeskakuję kałuże, ale kątem oka widzę, że u wylotu alejki kłębi się grupka przyjezdnych. Łatwo ich poznać po torebkach z kanapkami i po ciupagach, których nakupili w straganach na Rynku. Wokół wycieczki biega spocony opiekun z planem Krakowa w garści.

– Uwaga, Pulpecie! – mówię. – Wycieczka na jedenastej. Plan awaryjny!

Pulpetowi nie trzeba dwa razy powtarzać, w dwóch susach już jest w krzakach, a ja za nim. Do dzwonka siedem minut... – myślę sobie. – Spoko. Przeczekamy.

Nie doceniłam przeciwnika.

– O kurde, Andżeliko! Widziałam smoki, jak pragnę skonać! – słyszę i już wiem, że nie jest dobrze. Mamy październik, liście pożółkły i opadają. Nasza kryjówka to kępka wyłysiałych krzaków, a smocze łuski lśnią w jaskrawym słońcu i sieją „zajączkami" wokół. I już widzę tę Pamelę i Andżelikę, jak gnają w naszą stronę, a za nimi Patryk i Alan, i pół tuzina innych Dżejsonów.

– Ja cię sunę, smoki! – mówi Pamela i rozgarnia wątłe krzaczki. W tej sytuacji nie pozostaje nam nic innego, jak tylko otrzepać kolana, zdmuchnąć z nosa kilka liści i opuścić naszą kryjówkę z godnością.

– Dzień dobry! – mówimy chórem, jak Mama uczyła, co wzbudza prawdziwą wesołość wśród gapiów.

– Żywe! Zajebiste! – mówi Patryk, na co mój brat krzywi się boleśnie. Od dziecka jest wrażliwy i ma wręcz uczulenie na wulgarne słowa. Podnosi głowę i karci Patryka spojrzeniem. Niestety, facet jest zaimpregnowany na takie subtelne sygnały. Rechocze rozbawiony i mówi: – A może przypalimy gada zapalniczką, to zatańczy krakowiaka?

Wysuwa naprzód ciupagę i już-już ma dzióbnąć Pulpeta ostrym końcem pod żebro, kiedy mój brat wypuszcza nosem obłok smrodliwego, siarkowego dymu. Zaskoczony Patryk krztusi się, dławi i cofa dwa kroki. Andżelika i Pamela odskakują z niesmakiem, zatykając nosy. Pulpet gwiżdże przeraźliwie, co oznacza „ewakuacja!". Startujemy jak prom Discovery – z przytupem. Hyc! między nogami gapiów, pędem mijamy nadbiegającego opiekuna wycieczki, ślizgiem pod podwoziem autokaru, slalomem między parkującymi samochodami i już jesteśmy na ostatniej prostej – widać wejście do szkoły i pękatą postać pani Wyrodek – woźnej – która zamiata podjazd. Zziajani dopadamy drzwi równo z dzwonkiem.

– Znowu te cholery wam dokuczały? – pyta domyślnie woźna. – Bachory przeklęte. Że też kary nie ma na to chuligaństwo! Statysta – jeden w drugiego!

– Sadysta – poprawia machinalnie Pulpet. Na szczęście woźna nie słyszy, a my biegniemy do klasy.

W tym miesiącu nasza klasa to trzecia Ce.

Tutaj muszę wyjaśnić – my, smoki, rozwijamy się szybciej niż ludzie. Trzyletni smok jest już całkiem dorosły, podczas gdy trzyletni człowiek – wiadomo – nadal chodzi w pampersie. To bardzo kłopotliwe. Ledwo zaprzyjaźnisz się z jakimś ludzkim rówieśnikiem, a już go przerosłeś – klocki cię nie bawią, misio idzie w kąt, „chodzi lisek koło drogi" już ci nie leży. A przy tym – dorastamy szybko, ale rośniemy wolno. Nabieramy rozumu, ale nadal pozostajemy niewielkiego wzrostu. To wprowa-

dza sporo zamieszania. Bywa, że ludzie traktują mojego (całkiem dorosłego) Tatę jak przytulankę – ćwierkają nad nim i wsuwają mu do łapy lizaka, sądząc, że mają do czynienia z dzidzią. Nie muszę wam mówić, że Tata tego nie lubi. I reaguje czasami... hmm... nerwowo.

No więc – jak mówiłam – dorastamy szybciej. Nie możemy spędzić w podstawówce sześciu lat. Wiem, że to zabrzmi pyszałkowato, ale jesteśmy na to zbyt bystrzy. Kiedy się urodziliśmy (a nasze przyjście na świat narobiło niemało zamieszania), doktor Rąbek – przyjaciel rodziny i znawca gadów – przewidział problemy. Napisał dla nas specjalny, ekspresowy program szkolny.

W każdym półroczu zaliczamy trzy klasy. W rok skończymy podstawówkę, w pół roku gimnazjum, następne pół – liceum. A potem się zobaczy.

onieważ jesteśmy biologicznym fenomenem, szkoła fundnęła nam regularne zajęcia z psychologiem szkolnym. Do tej niewdzięcznej roboty zgłosił się pan Jakubek, który cierpi na ofidofobię, czyli paniczny lęk przed gadami. Twierdzi, że cotygodniowa sesja z dwoma smokami pomoże mu przełamać strach. Na razie kiepsko mu to wychodzi. Podczas naszych wizyt blednie i poci się obficie. Trzęsie się, biedak, aż mu okulary dzwonią. Nie daj Boże ziewnąć albo się przeciągnąć – błyskawicznie daje nura pod biurko i długo ociąga się z wyjściem.

an Jakubek próbuje rzetelnie zarobić na swoją pensję – daje nam do wypełnienia różne testy, każe rysować obrazki, pokazuje duże czarne kleksy i pyta, z czym nam się kojarzą. Mój brat udziela długich, kwiecistych odpowiedzi, które psycholog pilnie zapisuje w notesie.

Pulpet patrzy na okrągłego kleksa i plecie:

– Sugerowałbym, że to odcisk stopy dinozaura. Ślad stopy – dramatyczne świadectwo bytowania na ziemi olbrzymich roślinożerców...

Pan Jakubek, bardzo zadowolony, skrobie w zeszyciku, po czym podsuwa ten sam kleks pod mój nos i pyta:

– Co ci to przypomina, Prudencjo?

– Kleksa – odpowiadam zgodnie z prawdą.

– W kształcie... – Pan Jakubek zawiesza głos i uśmiecha się zachęcająco.

– Kleksa w kształcie KLEKSA – upieram się, bo, jak mamę kocham, nie widzę tu odcisku stopy dinozaura ani pary tancerzy flamenco, ani wiejskiej kapliczki, ani precelka, ani żadnej z tych głupich rzeczy, które przychodzą do głowy mojemu bratu.

Psycholog mruczy pod nosem i stawia w swoim zeszycie wielki minus.

Niestety, pan Jakubek nie radzi sobie z naszym szybkim dorastaniem. Na pierwszej wizycie w gabinecie psychologa ledwo składaliśmy proste wyrazy i liczyliśmy do dziesięciu (na patyczkach). Pulpet – wstyd powiedzieć – seplenił i ssał kciuk. Tydzień później mój brat przyniósł panu Jakubkowi słoik po ogórkach, pełen mlecznych zębów, które wypadły mu w międzyczasie (to nie był dobry pomysł – pan Jakubek zasłabł i musieliśmy go ocucić, polewając wodą z akwarium). Miesiąc później Pulpet napisał pierwszy sonet, a ja rozwiązałam równanie z dwoma niewiadomymi. Psycholog był wstrząśnięty. Zapisał cały zeszycik i patrzył na nas z niedowierzaniem. Od tej pory nie afiszujemy się ze swoją wiedzą i dla świętego spokoju udajemy dwa małe, głupie smoki.

Możecie mi wierzyć – nauczycielki nie lubią, kiedy w klasie pojawia się na krótko para smoków, narobi zamieszania i znika. Co prawda doktor Rąbek

wręcz stawał na uszach, żeby je na to przygotować, ale bywa różnie. Ludzie lubią proste sytuacje. Wiadomo – kotki robią „miau", pieski robią „hau", a smoki? Smoki pożerają dziewice. Oto siła literatury ludowej – niby wszyscy wiedzą, że bajki to bujda, ale na wszelki wypadek cichcem wyjmują pilniczek do paznokci... a nuż się przyda? I choćbyś się zaklinał, że twoim ulubionym daniem jest ciasto z rabarbarem; choćbyś przysięgał, że jesteś wegetarianinem – będą cię traktować, jakbyś był Godzillą.

Najbardziej z całej szkoły lubię Gabrysię. Jest najmniejsza w klasie trzeciej Ce, okrągła i ostrzyżona króciutko, na jeża. Od razu, pierwszego dnia szkoły, zwróciłam na nią uwagę. To było wiosną, przed wakacjami. Rodzice przyprowadzili nas pod sekretariat, pomachali i poszli. Właśnie trwała przerwa. Szliśmy korytarzem eskortowani przez panią Helę – naszą wychowawczynię. Wszyscy wgapiali się w nas, jak zwykle. To mnie nawet nie dziwi. Gdyby w szkole pełnej smoków wylądowały dwa różowe, pozbawione łusek, tu i ówdzie porośnięte włosem, bezogoniaste stworzenia – też bym się gapiła. No więc maszerowaliśmy za panią Helą w tłumie dzieciaków w różnych rozmiarach i widziałam same rozdziawione gęby. Na półpiętrze tłum się przerzedził i wtedy zobaczyłam niedużą, krótko ostrzyżoną dziewczynkę. Siedziała na parapecie, pochylona nad tamborkiem, i wyszywała. Kompletnie mnie zamurowało, bo haftowanie to, jak wiadomo, kompletny obciach, najbardziej wstydliwa czynność pod słońcem. Tylko noszenie warkocza z kokardą jest gorsze. Dziewczynka podniosła wzrok znad tamborka i uśmiechnęła się do nas szeroko. Bez cienia zdziwienia – jakby nic innego nie robiła przez całe życie, tylko widywała smoki na szkolnym korytarzu. A wtedy zauważyłam, że wyszywa na białej serwetce czarnym kordonkiem „Wesołego Rogera", czyli piracką banderę z trupią czachą. He, he!

Gabrysia jest dziwna – wszystko robi inaczej niż inni. Za to ją lubię. Jest dziwna... jak smok.

Wiedzieliśmy, że pierwszy dzień szkoły może być trudny. Pulpet nawet spakował do plecaka sztuczne gówienko ze sklepu Śmieszne Rzeczy, żeby na wypadek szarpaniny odwrócić uwagę przeciwnika. Pulpet

jest bardzo pomysłowy, jeśli chodzi o unikanie awantur, ale i tak najczęściej kończy się na ucieczce. W biegu na setkę nikt nam nie podskoczy – jesteśmy szybcy jak Bond.

No więc kiedy weszliśmy do klasy, Pacek i Mietek Wójcik (dwa najgorsze, sześcioletnie żule) właśnie grzebali w doniczce z paprotką. Co wydłubali garść ziemi – to wrzucali dziewczynkom za kołnierz. Na widok pani Heli przerwali zabawę, a umazane ziemią łapy wytarli w szkolne mundurki. Nauczycielka tylko westchnęła ciężko i klapnęła na krzesło za biurkiem.

Staliśmy na środku klasy, ledwo wystając nad krawędź stolików. Zapadła cisza jak makiem zasiał.

– To są wasi nowi koledzy – powiedziała pani Hela. – Brat i siostra. SMOKI – dodała z naciskiem.

Dzieciaki zaczęły szturchać się i chichotać, a Pacek i Mietek udali, że złapał ich atak czkawki.

– Przedstawcie się, moi drodzy. – Pani Hela uśmiechnęła się ciut nerwowo.

– Pulpet. – Mój brat szurnął nogą i zdjął berecik.

– Prudencja – wykrztusiłam.

Jak łatwo było przewidzieć – wszystkie sześciolatki zaczęły się turlać ze śmiechu, a Pacek i Mietek czkali jak szaleni, klepiąc się po plecach, aż dudniło.

Wymieniliśmy z bratem spojrzenia. Wszystko odbywało się dokładnie tak, jak się tego spodziewaliśmy.

Pulpet podrapał się po nosie, co oznaczało, że uruchamiamy wariant „zadyma".

Mój brat uniósł pyszczek i zawył jak karetka pogotowia. Trzeba przyznać, że Pulpet świetnie imituje dźwięki – klasa osłupiała. Potem zgodnym, bliźniaczym ruchem zdjęliśmy plecaki. Bez wysiłku wskoczyliśmy na biurko pani Heli i odśpiewaliśmy *Pieski małe dwa*, stepując i balansując dwutomową *Encyklopedią powszechną* na nosie. Kiedy piosenka dobiegła końca – zawiązaliśmy ogony w zgrabne kokardki, ukłoniliśmy się ładnie i zeskoczyliśmy na podłogę.

Pani Hela pierwsza zaczęła klaskać, do niej dołączyły dzieciaki. Pacek i Mietek Wójcik próbowali gwizdać, ale że nie bardzo potrafią – więc tylko opluli sobie mundurki.

Resztę lekcji przegadaliśmy o zwyczajach gadów i naprawdę nie było źle. Pulpet czujnie wspomniał o sile fizycznej smoków, na co Pacek się zasępił, a Mietek odsunął. Na zadanie domowe pani Hela zadała zrobić figurkę smoka z kasztanów. Łatwizna!

Tydzień później pani Hela oznajmiła, że zamiast lekcji idziemy do gabinetu lekarskiego na coś, co się nazywa „bilans sześciolatka". Pulpet trochę protestował, że nie mamy jeszcze sześciu lat, ale nikt go nie słuchał. Cała klasa musiała się rozebrać za parawanem do samych majtek, więc było mnóstwo zamieszania z chowaniem kapci, zawiązywaniem rajstop w supeł, wrzucaniem ogryzków do kaptura i strzelaniem z gumki w majtkach. Nas ta szampańska zabawa ominęła, bo my do szkoły chodzimy *sauté*, jak mówią Francuzi, czyli bez panierki. Znaczy... bez ubrania. To taka smocza tradycja. Tylko dla szyku Pulpet czasem zakłada szalik z emblematem Linuksa albo przypina do beretu pacyfkę.

Pielęgniarka na nasz widok zrobiła dobrze znaną minę czy-ja-śnię-niech-mnie-ktoś-uszczypnie!, ale po chwili poszeptała z naszą wychowawczynią, siorbnęła wody mineralnej z karafki i z kamienną twarzą zaprosiła nas do ważenia.

Pulpet wskoczył z impetem na wagę. Pielęgniarka przez chwilę szurała odważnikami, po czym oświadczyła:

– Dwadzieścia dziewięć kilo.

– Dwadzieścia dziewięć kilo samych muskułów! – potwierdził mój brat, z dumą napinając zielony biceps.

– Wzrost: sześćdziesiąt centymetrów – oznajmiła pielęgniarka niewzruszenie.

– Sześćdziesiąt centymetrów czystej inteligencji! – zapiał z zachwytu Pulpet.

– Nie takiej znowu czystej... – mruknęła pielęgniarka, rzuciwszy okiem na ubłocone po meczu z pierwszą Be smocze stopy.

– „Czysta inteligencja” to związek frazeologiczny, dobra kobieto. – Mój brat z politowaniem pokiwał głową. – Oznacza błyskotliwy *esprit*, umysł ostry jak brzytwa (uwaga! – użyłem porównania). Zaznaczę, że „czystość” jest tu kategorią metaforyczną, z higieną nie ma nic wspólnego...

Pielęgniarka pochyliła się nad Pulpetem i wysyczała wprost w zielone ucho mego brata:

– Nazwij mnie jeszcze raz „dobrą kobietą", a nie ręczę za siebie. Niewykluczone, że będę musiała zaaplikować ci Serię... Bardzo... Bolesnych... Zastrzyków.

Ostatnie trzy wyrazy wycedziła przez zęby, po czym wyprostowała się, niedbale zepchnęła Pulpeta z wagi i zawołała:

– Następny!

Pulpet poczłapał do kąta.

– Co mi przyszło do głowy, żeby ją nazwać „dobrą kobietą"... – mamrotał urażony. – ... Przecież to jest Osama bin Laden w pielęgniarskim fartuszku. Doprawdy, kobiety bywają takie małostkowe...

– Sam się prosiłeś, mądralo. – Wzruszyłam ramionami. – Byłeś przemądrzały.

– Ja tylko hojnie dzielę się moją wiedzą. Sypię perły przed... personel medyczny. O, choćby teraz – użyłem związku frazeologicznego. Cóż ja poradzę, że jestem taki inteligentny. Mam to po Tacie – plótł mój brat.

– Następny! – warknęła pielęgniarka. – Prudencja Fiś. Na wagę!

No i wybiła godzina prawdy. Okazało się, że mam o całe pół kilo muskułów więcej od Pulpeta i o centymetr więcej czystej inteligencji.

Halloween to takie zagraniczne Zaduszki, importowane z Ameryki. Nie mają nic wspólnego z polskimi, ale bardzo je z Pulpetem lubimy. W Halloween możemy spacerować po mieście, nie wzbudzając sensacji. Tego dnia dzieciaki wędrują po domach, domagając się słodyczy. Co ważne – w przebraniu. Przyjęło się, że kostium ma być trochę groźny (wampiry albo szkielety), ale, szczerze mówiąc, dziewczyny z reguły nie chcą być kościotrupami, więc jesteśmy dziwną, mieszaną grupą straszydeł i księżniczek. Coś jak zespół Iron Maiden plus kilka sztuk Dolly Parton.

Smoki co prawda nie należą ani do kościotrupów, ani – tym bardziej – do księżniczek, ale to ja i Pulpet zbieramy najwięcej pochwał za przebranie.

„Cukierek albo psikus!" – wrzeszczymy, kiedy ktoś otwiera drzwi. Z reguły dostajemy baton albo torebkę landrynek. I niemal zawsze słyszymy zachwyty nad naszymi, mistrzowsko wykonanymi, kostiumami smoków.

– Jejciu, SMOKI!! Waldek, chodź no tu, migiem! Zobacz, jakie cudaki!... No, tylko spójrz na te dwa zielone... Ja nie mogę, MRUGAJĄ! Z czegoście tę łuskę zrobili? Pewno kostiumy z teatru, co?... Okręć się, malutki... No proszę, ogony też mają... Jak żywe! To i ziać ogniem też pewnie potraficie, ha, ha!... Nie, nie, nie trzeba... Wierzę na słowo... Cukiereczka?

– Wolałbym korniszona – westchnął mój brat.

– On żartował. Jak pani dorzuci jeszcze jedno prince polo, to zatańczą smoczego walczyka – negocjowała Gabrysia przebrana za hamburgera.

Nic dziwnego, że nasza torba na słodycze pod koniec dnia była najbardziej pękata. Targaliśmy ją na zmianę. Wiesia Rosochę zemdliło, bo cichcem podżerał z torby.

– Dobrze ci tak, Wieśku! – łajał go Pulpet. – Pojęcia nie masz o lojalności.

– O jola... czym nie mam pojęcia? – stęknął Wiesio.

– O uczciwości w interesach. Ściemniasz, że nie podżerałeś, a nawet uszy masz wymazane czekoladą – zrzędził mój brat.

Na koniec poszliśmy do Gabrysi podzielić łupy. Jej mama zaparzyła wielki imbryk herbaty miętowej.

Strasznie się pokłóciliśmy. No bo czy torebka żelków jest równa jednemu batonikowi, czy może połowie? I jaką równowartość w cukierkach ma tabliczka czekolady? A jak podzielić sprawiedliwie słoik „śledzików w zalewie kaszubskiej" od tej pani, co nie miała w domu słodyczy?

Tylko Wiesio leżał na tapczanie i było mu wszystko jedno. Jego pozieleniała gęba ładnie harmonizowała z limonkowym odcieniem tapet w pokoju Gabrysi.

Od zawsze mieszkamy na Wawelu. Dokładnie – od trzeciego dnia życia, kiedy to Tata odebrał nas z porodówki. Nic dziwnego, że czasem zastanawiamy się – czemu ci wszyscy ludzie szwendają się po NASZYM domu? Raczkować nauczyliśmy się w Gabinecie Holenderskim, a pierwszy mleczny ząb wypadł mi w sali Pod Orłem. Poturlał się pod renesansowy kredens i dotąd pewnie tam leży.

Jest taka rodzinna anegdota – kiedy Pulpet był całkiem mały, zapodział się gdzieś na zamku. Rodzice odchodzili od zmysłów. Postawili na nogi cały personel muzeum. Przeczesywali piwnice, zaglądali na strychy.

Znaleźli go w Zbrojowni. Spał w najlepsze... w lufie zamkowej armaty. Wdrapał się tam, zwinął w kłębek i chrapnął, podczas gdy szukała go setka ludzi.

Kiedy go wreszcie znaleziono, Tata zapytał Pulpeta, dlaczego właśnie w lufie uciął sobie drzemkę.

– Bo tu nie ma przeciągów – odpowiedział mój brat.

Dam głowę, że nasz Tata jest najlepszym przewodnikiem wycieczek w Polsce. Ludzie czekają tygodniami, żeby trafić do jego grupy. Jest naprawdę dobry – wie wszystko o Wawelu. Nigdy nie klepie jak automat, tylko ciągle wymyśla coś nowego – rapuje, rymuje, żongluje, zadaje dzieciakom zagadki, częstuje piernikami upieczonymi według szesnastowiecznej receptury... Ciągle zamęcza Mamę prośbami o uszycie kolejnych kostiumów i przebiera się – za husarza, za Krzyżaka, za sułtana Mustafę, a ostatnio nawet za królową Jadwigę.

Z tą królową Jadwigą to był niewypał. Kiedy Tata pojawił się w blond peruce i królewskiej szacie uszytej z maminego szlafroka – wycieczka amerykańskich turystów nazwała go Dragon Queen, na co Tata się nabzdyczył i powiedział, że jak tak, to żeby sobie sami zwiedzali. No i oni zrozumieli to zbyt dosłownie i chcieli Szczerbiec wyjąć z gabloty, i ganiali się po krużgankach, i była awantura na całego.

Czasami Tata pozwala nam asystować przy oprowadzaniu wycieczki. Nie jest lekko... możecie wierzyć. Zwłaszcza gimnazja dają czadu. Kiedy Tata opowiada o historii Wawelu, my osłaniamy tyły i zaganiamy stado jak owczarki pasterskie. W każdej klasie jest kilku bystrzaków, którzy w nosie mają Łokietka i królową Bonę i tylko kombinują, jak by się urwać i czym prędzej

kopnąć do automatu z oranżadą. Wymyślają sobie od kurdybanów i plafonów i najchętniej przylepiliby gumę do żucia na czole Anny Jagiellonki. Nie jest łatwo przekonać takiego gościa, żeby powstrzymał się od robienia obory w, było nie było, królewskiej siedzibie.

Na nieznośnie gadatliwych z reguły pomaga krówka mordoklejka, którą częstujemy takiego pacjenta. Gorzej z nadpobudliwymi – tych czasami trzeba niechcący zatrzasnąć w toalecie albo „zabłąkać" w kotłowni na godzinkę. Pulpet miewa skrupuły, ale ja jestem bezlitosna dla kretynów, którzy próbują uruchomić gaśnicę w Sali Poselskiej albo wydrapać napis „GKS Bełchatów" na ścianie Zbrojowni.

W Smoczej Jamie wycieczka mięknie, bo tam ciemnawo, a my mamy parę zaprzyjaźnionych myszy, które łatwo namówić na spacer po nogawce wyjątkowo opornych na wiedzę historyczną ziomali. Nie do wiary, ile mogą zdziałać takie drobne pazurki i jeszcze drobniejsze ząbki – najwięksi twardziele piszczą jak osesek i dają popisy prawdziwego breakdance'a, kiedy mysz wyskoczy im z kaptura skejtowej bluzy.

Mój Tata, jak wiadomo, pochodzi z kanalizacji. Wyszedł pewnego dnia z odpływu umywalki. Nikt nie wie, skąd się tam wziął, on sam nic nie pamięta. Poddał się nawet głębokiej hipnozie (za namową babci Fiś), żeby we śnie zobaczyć swoją przeszłość.

Do hipnotyzera poszliśmy razem. Tata zasnął błyskawicznie. Ledwo opadły mu powieki, a już zaczął wykonywać przyśpiewki ludowe. Bardzo nieprzyzwoite. O babie i o żabie. No i kto by pomyślał? Nasz Tata – prawdziwy mieszczuch – wykrzykiwał „usia siusia" i „łoj di ri di", przebierając we śnie łapami. Ja i Pulpet chichraliśmy się jak szaleni, chociaż pan hipnotyzer machał rękami i dawał znaki, że mamy siedzieć cicho. Wreszcie, czerwony jak burak, obudził Tatę w samym środku zwrotki o figlarnej Marynie.

No cóż – eksperyment się nie udał. Chyba żeby przyjąć, że Tata wczesne dzieciństwo spędził na wsi, wśród wesołych, swawolnych wieśniaków. Nie chce mi się wierzyć. Rolnicy, jak wiadomo, mają WIDŁY i to jest powód, dla którego żaden smok przy zdrowych zmysłach nie zbliża się do wiejskich opłotków.

– Ha! Można było się spodziewać, że tak będzie – tryumfowała nasza Mama, która od samego początku była przeciwna wizycie u hipnotyzera. – Przyznaj się, Pomponie, miałeś nadzieję, że twoi rodzice okażą się zupełnie wyjątkowi, hę? Co drugi gość na tej leżance okazuje się w prostej linii potomkiem króla albo faraona... Tere-fere! Królowie musieliby się rozmnażać przez podział komórki – jak glony albo sinice – żeby nadążyć za tym popytem na monarchów.

Mama założyła na głowę Taty wianek z czosnku, jak koronę.

– Skądkolwiek się wziąłeś, Pomponie, jedno nie ulega wątpliwości – twoi rodzice byli SMOKAMI. Na razie to ci musi wystarczyć.

– Otóż to, Pysiu, otóż to! – przytaknął Tata. – Byli smokami. Podobnie jak twoi rodzice. Pytanie brzmi – gdzie się podziali? Zapadli w sen stuletni? Wyemigrowali do Irlandii? Dołączyli do waranów z Komodo? Hę...? – Tata pytająco zawiesił głos. – Smoki, jak twierdzi Kazio Rąbek, są długowieczne. Przed nami jakieś sto pięćdziesiąt lat życia. Mamy sporo czasu, żeby odnaleźć naszych przodków.

Myśl, że możemy mieć trzy razy więcej dziadków, bardzo mi się spodobała. Ja i Pulpet dostajemy masę prezentów od Fisiów z Warszawy, którzy są naszymi przybranymi dziadkami. Kolejne dwie pary dziadków to więcej paczek pod choinką, więcej pocztówek na walentynki, więcej babcinych przysmaków... Kiedy uświadomiłam Pulpetowi, jaka to przyjemna perspektywa, skrzywił się i prychnął:

– Materialistka! Tylko mamona... Zero uczuć wyższych.

No, tu mnie wkurzył! Niech mi ten hipokryta o kłapciatych uszach nie wmawia, że żywi jakieś ciepłe

uczucia dla wirtualnych dziadków, których nikt na oczy nie widział i o których wiemy tylko tyle, że porzucili swoje potomstwo (znaczy naszych rodziców) w niemowlęctwie.

Nasz pokój wygląda, jakby ktoś odpalił granat w śmietniku. Cała podłoga usłana jest gliną, skrawkami gazet, patykami i mchem. Na dodatek wszystko trochę umazane klajstrem z mąki ziemniaczanej. A to dlatego, że mój brat obiecał panu od historii, że nasza czwórka – ja, Pulpet, Gabrysia i Wiesio Rosocha – zrobi makietę Biskupina na szkolną wystawę archeologiczną.

Niezły pomysł, no nie? Podzieliliśmy robotę: Pulpet robi makietę półwyspu z *papier mâché*, trocin i mchu. Wiesio – sztuczną wodę i most. A my z Gabrysią – palisadę i zabudowania za ostrokołem.

Od dwóch dni tkwimy nad tą makietą, a nasz Biskupin ciągle rośnie. Wyszedł już za próg, do przedpokoju, i zatarasował przejście do łazienki. Wszystko było dobrze, dopóki Tata nie zainteresował się naszą pracą domową.

– Co to? – zapytał. I zaraz sobie odpowiedział: – Wczoraj rano wyglądało jak naleśnik. Po obiedzie – jak makieta Wezuwiusza. Po dobranocce – jak kosmodrom Bajkonur. A dzisiaj wygląda jak Pompeje pod lawą wulkaniczną. Co to może być? – Cmokał i krążył wokół makiety, tu i ówdzie upstrzonej kępkami mchu, który miał imitować Puszczę Notecką.

– To prasłowiański gród obronny w Biskupinie – wyrecytował urażony Pulpet i tak się nabzdyczył, że zasadził kolejny kawałek puszczy pośrodku fosy.

– No jasssne! – ucieszył się Tata. – Poznaję po tym prasłowiańskim pudełku z napisem „Marlboro" w palisadzie.

– To jest wieża strażnicza – fuknął Pulpet ze złością. – Obłoży się patykami, przykryje słomą i będzie git.

Tata poklepał Pulpeta po grzbiecie i kucnął obok nas.

– A z czego zrobiliście wodę?

– Z bidonów po wodzie mineralnej – oznajmił Wiesio, bardzo dumny ze swojej roboty. I rzeczywiście – powierzchnia jeziora wyglądała jak żywa. Niebieski, przezroczysty plastik świetnie imitował wodę.

Tata pochylił się nad pomalowanym na zielono pastwiskiem, tak zwanym kralem. Pasły się na nim zwierzęta z naszego zestawu lego.

– A to co? – Tata wygrzebał ze stada i uniósł w dwóch palcach plastikowego Królika Bugsa i Psa Pluto.

– Mamoooo! On się z nas nabiiija! – wrzasnął Pulpet w kierunku kuchni, gdzie Mama przygotowywała kolację.

– W żżżyciu! – zaprotestował Tata. – Tak sobie pytam. Ciekawy jestem.

– W podręczniku jest napisane, że Biskupin miał duże stada bydła... – wyjaśniła cierpliwie Gabrysia – ... a my mamy tylko cztery krowy i sześć owiec.

– Królik też zwierzę, nieprawdaż? – przyszedł jej z pomocą Wiesio. – A Pluto jest psem pasterskim.

Tata chrząknął dziwnie i spurpurowiał na twarzy.

– A drób?... Co z drobiem? Może i Kaczor Donald się załapie? – wykrztusił, próbując zachować powagę.

– Jak się masz nabijać, to lepiej sobie idź! – oznajmił mój brat. Wyjął z rąk Taty figurki Bugsa i Pluto i ustawił je na pastwisku.

– Okej, okej, już idę... A jak zamierzacie wynieść ten gród prasłowiański z domu? – zapytał Tata. – Bo w drzwiach się nie zmieści.

Popatrzyliśmy po sobie. Jasny gwint! Rzeczywiście. Biskupin dawno przekroczył arkusz tektury, na którym zaczęliśmy go budować, i teraz był rozmiarów wersalki, tylko bardziej pękaty. Gołym okiem widać, że utknie w drzwiach.

– Jejciu, ale wtopa! – jęknął Wiesio. – Trzeba będzie oberżnąć jezioro. Albo pastwisko.

– Raczej jedno i drugie – mruknął ponuro Pulpet.

– Lecę po mamę – powiedziałam. – Mama pomoże.

I rzeczywiście. Mama wysłuchała płaczliwych wyjaśnień Wiesia, zmierzyła Biskupin centymetrem krawieckim, pomruczała, policzyła coś na palcach, a potem ostrym tasakiem ciachnęła prasłowiańską osadę na pół. Linia podziału przebiegała środkiem głównej ulicy. Zatargaliśmy obie połówki do szkoły, a tam skleiło się je super glue i makieta jak nowa!

No dobra, przyznaję – Wiesio upuścił swoją połówkę na przejściu dla pieszych i kawałek Puszczy Noteckiej odpadł, ale dobrze się stało, bo dzięki temu Biskupin stał się ponownie wyspą (a nie półwyspem, jak nam się wydawało), zgodnie z prawdą historyczną.

Tata dorobił jeszcze kilkanaście łaciatych krów z modeliny, a Mama – figurki dwóch pastuszków, dzięki czemu Królik Bugs i Pies Pluto mogli wrócić do pudełka po butach.

Pan od historii bardzo nas chwalił i dostaliśmy dyplomy i darmowy abonament do Muzeum Archeologicznego. I nawet największy kujon, Józefik z czwartej Be (który zrobił na wystawę kopię urny twarzowej ze Ściegnicy), musiał przyznać, że nasz Biskupin – mucha nie siada!

Jeszcze tylko tydzień został do przyjazdu dziadków Fisiów z Gniewoszem i Malwiną. Strasznie lubię wizyty Fisiów. Babcia zwykle przywozi pyszny pasztet wegetariański, wielki jak młyńskie koło. No i dostajemy furę prezentów. A przy tym nie są to idiotyczne fanty, którymi zwykle obdarowują krewni, takie jak – dajmy na to – ciepłe skarpety albo piórnik z różowym pudelkiem. Nie. Poprzednim razem dziadek Fiś wykupił mi prenumeratę pisma „Motor" i zestaw narzędzi do majsterkowania, a mój brat dostał irlandzki flecik *whistle*.

Początkowo przeklinaliśmy ten instrument, bo Pulpet całymi dniami dawał czadu, piszcząc i gwiżdżąc jak czajnik. Po tygodniu, kiedy już Tata odgrażał się, że zatka flecik landrynką albo połamie na drobne drewienka, Pulpet zagrał coś jakby *Wlazł kotek na płotek*.

A potem *Biedroneczki są w kropeczki*. I wreszcie załapał, o co chodzi. Teraz potrafi zagrać nawet *Taniec kurcząt w skorupkach* i hymn Irlandii.

W szkole uruchomili sklepik. Natychmiast zrobiło się wokół niego zbiegowisko i każdy towar za ladą został po wielekroć zrecenzowany. Sklepik prowadzi pan Rysiek, mąż szkolnej sekretarki. Lubię go, bo ma piękny tatuaż – w kształcie smoka! – na prawym ramieniu. Największym wzięciem w sklepiku cieszą się prykające gumy do żucia i oranżadka ze słomką – sądząc po smaku, zrobiona z farby akwarelowej, wody z kranu i cukru. Dobrze „schodzą" (jak mówi pan Rysiek) szmaciane zośki. Cała szkoła oszalała na ich punkcie. Na przerwach wszędzie widać podrzucane nogą kolorowe piłki z gałganków.

Nasze zośki fruwają najwyżej, bo my dodatkowo używamy ogona. I dlatego nikt nie chce z nami grać na punkty, tylko o „przekonanie", a bez odrobiny hazardu nie ma fanu. Dopiero kiedy Pulpet przywiązał sobie ogon do pleców tasiemką i obiecał używać wyłącznie nóg, pozwolili mu startować w zawodach szkolnych. A i tak Józefik krzyczał, że to nie są mistrzostwa MIĘDZYGATUNKOWE i smoki powinny mieć swoją osobną konkurencję. Wtedy Pulpet się zagotował i odpowiedział Józefikowi, że jedyną naprawdę smoczą konkurencją jest – jakoby – pożeranie dziewic i przypalanie tyłka różnym szewczykom i innym mądralom. I że on – znaczy Pulpet – jest co prawda wegetarianinem, ale co do przypalania, to może wypróbować na Józefiku, bo nic go tak nie wkurza jak dyskryminacja. Na co nasz szkolny prymus zamilkł. Założę się, że nie rozumie słowa „dyskryminacja", ale po minie Pulpeta poznał, że lepiej się nie upierać. Skutek był taki, że Pulpet zajął w zawodach trzecie miejsce, tuż za Wiesiem Rosochą i takim jednym przerośniętym dryblasem z szóstej klasy. Dałabym głowę, że Pulpet mógł spoko wygrać, ale nie chciał robić przykrości Wiesiowi. Raz czy dwa rozmyślnie upuścił zośkę, żeby kumpel dostał swój medal z guzika i sreberka.

zisiaj Dzień Nauczyciela. Dostaliśmy od rodziców kasę na kwiaty. Pulpet oświadczył, że nie zamierza obdarowywać kwiatami nauczycieli, których nie lubi, i całą forsę przeznaczy na bukiet dla pani Kupskiej – polonistki. Na co Tata trochę się stropił i próbował perswadować.

– Te kwiaty to tylko skromna rekompensata za sajgon, jaki fundujecie waszym nauczycielom. Pani Kupska docenia twój językowy talent i stawia szóstkę za szóstką z wypracowań. Lubisz ją i ona cię lubi. Kwiaty dla niej to oczywisty dowód sympatii... – Pulpet potwierdził, energicznie kiwając łebkiem. Tata kontynuował: – ... Za to z matmy jesteś, synu – *excuse le mot* – głąb. A pani Szuwara męczy się z tobą, ślęcząc po lekcjach i próbując wbić do głowy choćby tabliczkę mnożenia. Owszem, przyznaję, charakter ma trudny, maniery trochę szorstkie...

– Szorstkie maniery? – wtrącił oburzony Pulpet. – Rzuciła we mnie planszą z twierdzeniem Pitagorasa!

– Z desperacji, synu, z desperacji... Pierwszy raz w długoletniej praktyce spotkała tak beznadziejny przypadek matematycznej tępoty... Ale przecież nie odmówisz jej KWIATKA? To byłaby małostkowa zemsta, niegodna smoka.

– Pani Szuwara jest w porzo – włączyłam się do rozmowy. – Z jej głową powinna pisać doktorat z matematyki, zamiast marnować czas z Pulpetem, który nie odróżnia kwadratu od rombu. Owszem, porywcza z niej kobieta. Nie jej pierwszej przepalił się bezpiecznik podczas lekcji z tym wieszczem od siedmiu boleści... – Tu Pulpet posłał mi spojrzenie, które zabija. Nic a nic mnie to nie obeszło. – Czy Tata wie, że on, zamiast rozwiązać zadanie o basenie napełnianym wodą, nasmarował esej o sztucznych zbiornikach wodnych? Biedna pani Szuwara... wyobrażam sobie jej minę, kiedy czytała te wszystkie bzdury o plusku fal i delikatnej mgiełce unoszącej się nad jacuzzi... A wystarczyło napisać: „Basen o objętości 800 metrów sześciennych napełni się w ciągu godziny i 20 minut".

Pulpet wywalił na mnie jęzor aż po same migdałki, po czym wydał paszczą nieprzyzwoity dźwięk. No to ja szybkim ruchem pociągnęłam go za ogon i spadł z kanapy z hukiem. Przybiegła Mama, rozdzieliła nas i zadecydowała:

– Nie widzę problemu. Kupujecie dwa bukiety. Idziecie razem do pani Kupskiej i pani Szuwary. Polonistce wręcza bukiet Pulpet. Matematyczce wręcza bukiet Prudencja. Grzecznie kłaniacie się, jedno dyga, drugie szura nóżką. Sprawa załatwiona!

Fakt. Załatwiona.

U pani Kupskiej Pulpet nie tylko zamiótł beretem podłogę w wyszukanym ukłonie, ale jeszcze rzucił się do całowania w rękę, na co nasza polonistka z piskiem uciekła za biurko. No cóż, Pulpet ma chwytne zielone łapki, uzbrojone w BARDZO OSTRE pazurki. Nie każda kobieta lubi ryzyko. Nieporozumienie szybko się wyjaśniło. Speszony Pulpet wyjął z beretu własnoręcznie zrobioną laurkę i odczytał na głos:

Każdego roku/
w języku smoków/
piszę sonety/
sławię zalety/
nauczycielki/
co talent wszelki/
miewa w nadmiarze./
I czas pokaże/
że nie daremnie/
dojrzewa we mnie/
duma i podziw/

dla pani Lodzi (bo jej Leokadia na imię)
Miła jak żadna/
bystra i ładna/
dobra kobieta/
(ceni Pulpeta)
A zatem – chórem:/
(kielichy w górę)/
Wiwat dla pani
Kupskiej, kochani!

Bezwstydny lizus!

Rzecz jasna, pani Kupska była udobruchana. Kobiety są łase na pochlebstwa. Wycałowała go, zostawiając na policzkach Pulpeta karminowe ślady szminki. Zachował te „całuski", dumny jak paw, aż do wieczora, kiedy to Mama zagoniła go do wanny.

Nasza szkoła nosi imię Jana Matejki. Całkiem niezły patron. Przynajmniej wszyscy wiedzą, kim był Matejko. Naprawdę przechlapane mają te wszystkie szkoły imienia Pipściukiewicza i Kociłapskiej, co to nikt poza najbliższą rodziną nie wie, kim byli, po czym okazuje się, że to, dajmy na to, wynalazca śruby prawoskrętnej albo zasłużona instruktorka haftu krzyżykowego. Dlaczego nie można nazwać szkoły imieniem Mamy Muminka? Albo Prosiaczka? Że o Smoku Wawelskim nie wspomnę? Niech mi ktoś powie, że nie mają zasług!

Raz w roku – jesienią – w szkole odbywa się wielka feta – Dzień Szkoły.

Szkolne święta łatwo rozpoznać. Tylko od wielkiego dzwonu w toalecie pojawia się różowy (!!!) papier toaletowy. Idziesz na siusiu... i już wiesz, że to Święto Niepodległości albo Urodziny Patrona.

Świętom szkolnym towarzyszą zawsze wypastowane na błysk podłogi. Pod portretem Matejki woźna ustawia rząd paprotek, a pani dyrektor ma na sobie najlepszy żakiet w pepitkę. No i obowiązkowo – rosół w stołówce.

Dlaczego rosół, a nie – dajmy na to – ogórkowa? Pojęcia nie mam.

Na dwa dni przed akademią zaczęły się dyskusje na temat pocztu sztandarowego. Dotychczasowy poczet (czyli trzy kujony z piątej klasy) zachorował na grypę żołądkową. No i zaczęły się nerwowe poszukiwania zastępstwa. Przyjęło się, że sztandar niosą dobrzy uczniowie. Chociaż ja chętnie zobaczyłabym Packa i Mietka Wójcików i najstarszego z braci Urbanków (czyli trzech najgorszych szkolnych ziomali), jak defilują w białych koszulach, uczesani w ząbek, szpalerem przez całą salę gimnastyczną. Możecie zgadywać: ile razy Pacek pokazałby język za plecami pani dyrektor? I jakiego słowa użyłby Urbanek, gdyby się potknął na schodkach? I ile frędzli od sztandaru zdążyłby spruć Mietek do końca akademii?

Kiedy pani Hela postanowiła wybrać poczet sztandarowy z naszej klasy, zrobił się straszny rwetes. Karol wskazał Funia, Funio Martynę, Martyna Zuzę, Zuza Romka Kiepka, Romek Wikę... Pani Hela trzepnęła linijką w blat biurka i zapadła cisza. W tej ciszy wstała Gabrysia i wskazała na mnie i Pulpeta:

– Smoki dobrze się uczą. I są tego samego wzrostu. No i pięknie będą wyglądały w szarfach – oznajmiła Gabrysia i usiadła.

Pani Hela zrobiła taką dziwną minę, którą moja Mama nazywa „KONFUZJA", i coś jakby rozważała w milczeniu. Gabrysię poparli Wiesiek i Sabina. Władek Polewka, ponury dryblas, który prawie nigdy się nie odzywa, tym razem wypowiedział aż dwa słowa: „Ale jaja!".

Pani Hela skarciła go wzrokiem i podjęła decyzję:

– Zgoda. Pulpet i Prudencja są naszymi kandydatami do pocztu sztandarowego. A chorążego (czyli tego, który niesie sztandar) wybierze trzecia Be.

Po długich rozważaniach, czy nie powinniśmy aby ubrać się „po ludzku", czyli w mundurki, Mama zadecydowała, że idziemy jak zwykle, czyli na golasa. Pulpet na czas akademii zrezygnował z beretu i spiłował z tej okazji pazurki. Ja wypolerowałam łuski skrzatem.

Nazajutrz pan od historii poinstruował nas, kiedy wchodzimy na salę i gdzie mamy stanąć, a pani Wyrodek, przeżegnawszy się ukradkiem, wręczyła nam po parze białych rękawiczek.

Wydawałoby się – co za problem, iść po obu stronach gościa, który niesie sztandar, i zachować powagę do końca akademii. Taaaa... to spróbujcie sami!

Zwłaszcza kiedy okazuje się, że trzecia Be na chorążego wybrała Tomka Piecyka, którego mama pochodzi z Zambii.

Czekaliśmy pod drzwiami sali gimnastycznej. W odpowiednim momencie pani Wyrodek popchnęła nas lekko i wmaszerowaliśmy na salę. Od razu połowa szkoły zaczęła się chichrać. Zamiast śpiewać „Ten sztaaandar, ten sztaaaandar, to nasza duma i cześć”... chór szkolny na scenie zafalował, szturchał się i pokazywał palcami. Pani dyrektor, która w innych okolicznościach zgromiłaby uczniów wzrokiem, nawet nie drgnęła. Dośpiewała hymn do końca, z nosem wycelowanym w godło państwowe. A obok niej równie zdyscyplinowana delegacja z kuratorium. Tymczasem my – nie bez trudu – wdrapaliśmy się na scenę. Pulpet szedł tyłem, z obawy, żeby nie nadepnąć na zbyt długą szarfę. Zanim zdążyłam go ostrzec, wetknął nogę w paprotkę. Przez chwilę walczył z doniczką, po czym efektownie rymnął na zadek. Ziuuuuu! – długim ślizgiem po świeżo wyfroterowanym parkiecie pojechał do podnóża gipsowego popiersia Matejki. Przyłożył łebkiem w solidny postument, aż zadzwoniło. Matejko zachybotał się.... A wtedy Tomek Piecyk rzucił się na pomoc. Niestety w ręku miał sztandar, więc zanim dopadł patrona – łuuup! – zmiótł Matejkę drzewcem sztandaru jak dzidą. No i – rzecz jasna – popiersie runęło na Pulpeta, który właśnie zbierał się z podłogi. Bździaang!!!

Gdyby to był inny uczeń szkoły, pozbawiony łusek, toby chyba nie przeżył. Matejko rozprysnął się na tysiąc kawałków i przysypał mojego brata gipsowym gruzem. Coś poturlało się pod moje nogi. Nos! Nos Matejki. Zachowałam go sobie na pamiątkę.

Nigdy, przenigdy nie zapomnę min delegacji z kuratorium, która w osłupieniu gapiła się na kędzierzawego Mulata i dwa smoki na scenie. Ja dostałam głupawki. Śmiałam się jak szalona, z nosem Matejki w łapce. Pulpet nadal tkwił nogą w doniczce. Tomek, w połowie przykryty sztandarem, na czworakach próbował cichcem zwiać za kulisy. Zaplątani w biało-czerwone szarfy, lekko przypudrowani gipsowym pyłem byliśmy najbardziej dziwacznym pocztem sztandarowym w województwie. A może i w całym kraju.

Rodzice mają w ręku kontrakt z agencją Pic & Fotomontaż. Zagrają w telewizyjnej reklamie. Chodzi o sos ballasco. To taki potwornie ostry sos z papryczek chili, od którego łzy stają w oczach i pali w gardle. Zaledwie kropla sprawia, że potrawa jest pikantna.

Scenariusz jest prosty – najpierw w dwóch słowach nasi rodzice opowiedzą, czym jest ballasco, a potem obliżą łyżeczkę z sosem... i zioną żywym ogniem! Dla smoków to pikuś, z sosem czy bez sosu – ziać potrafimy od dziecka.

Nasz Tata okazał się bardzo nieustępliwy w negocjacjach z agencją – zażyczył sobie wieprzowych klopsików na planie filmowym i nieograniczonej ilości soku z marchwi. Mama robi plany, na co wyda honorarium. Kurs języka esperanto, cyklinowanie podłóg, kolczyki z cyrkonii, zmywarka do naczyń...

Rodzice obiecali, że będziemy mogli przyjść na plan zdjęciowy, żeby się pogapić.

Ktokolwiek mówi, że praca w show-biznesie jest łatwa i przyjemna – KŁAMIE!

Nagranie reklamówki mamy już za sobą. To, co miało być proste i przyjemne – skończyło się awanturą. Tata pije melisę na stargane nerwy. Mama zaklina się, że „nigdy więcej"!

A wszystko przez nadgorliwego strażaka, który dyżurował na planie. Facet wprost palił się (!!!), żeby coś ugasić.

Rodzice załatwili nam przepustki do studia. Cały ten cyrk mogliśmy oglądać zza pleców ekipy. Na początku wszystko szło gładko. Rach-ciach nakręcili pierwsze pół minuty. Ale później zaczęły się schody.

Nagranie osiągnęło moment, kiedy smoki zioną ogniem... A wtedy nadgorliwy strażak wbiegł na plan i uruchomił gaśnicę. Po chwili naszych rodziców – Pompona i Pepsikoli – nie było widać spod grubej warstwy piany. Wstrzymano zdjęcia.

Na próżno Tata tłumaczył, że wszystko jest pod kontrolą. Że zieje ogniem nie od dziś i w ogóle spoko! Daremnie Mama tłumaczyła, jak działa smok. Strażak dąsał się i upierał, że on wie lepiej.

Dobre pół godziny trwało, zanim rodzice zdołali otrzepać się z piany. Długo przecierali załzawione oczy. Porządkowano dekorację. Wreszcie – kolejny dubel. „Akcja!" – krzyczy reżyser. Smoki wypowiadają swoje kwestie, równocześnie podnoszą łyżki do pyszczków, zioną... A wtedy strażak znów nadbiega z gaśnicą i... stop!... po herbacie!

Nie uwierzycie – TRZY RAZY ten maniak pożarnictwa wybiegał zza dekoracji i gasił naszych rodziców. Pod warstwą piany Tata dostał szału i cisnął w strażaka klopsikiem. Wszyscy zaczęli krzyczeć naraz, zrobiło się straszne zamieszanie...

I tu Pulpet wkroczył do akcji.

Zanim wszyscy wrócili na swoje miejsca, a reżyser wrzasnął: „Cisza na planie!", Pulpet „niechcący" rozlał mydliny tuż obok stanowiska strażaka. Tym razem facet nie zdążył z akcją gaśniczą. Wykopyrtnął się jak długi w kałuży z mydlinami, a rodzice bezawaryjnie dokończyli ujęcie.

– Synku, dobra robota! – powiedział wieczorem Tata. – Odrobina mydlin jeszcze nikomu nie zaszkodziła. Grunt to higiena.

Pulpet napęczniał z dumy.

– A swoją drogą... chyba wydoroślałem – dodał Tata. – Nie udusiłem faceta. Nie obraziłem jego mamusi. Nie przyłożyłem mu gaśnicą (bo przecież o klopsiku nie warto wspominać). Najwyraźniej jestem już poważnym, zrównoważonym smokiem w średnim wieku.

Mama pokiwała głową z powątpiewaniem.

Malwina i Gniewek Fisiowie są dla nas czymś w rodzaju ciotki i wujka. Niełatwo to wytłumaczyć. Jeszcze przed chwilą nosili nas na rękach i potrząsali grzechotką, teraz są mniej więcej w naszym wieku, a za chwilę będą młodsi o całe pokolenie. Jeśli to dla was za trudne, pomyślcie o psach. Dajmy na to – dostajecie psa na siódme urodziny. Wychowujecie szczeniaka, pies rośnie, a zanim zrobicie maturę – osiwieje ze starości i przejdzie na psią emeryturę. Ze smokami jest podobnie. Tyle tylko że my jesteśmy długowieczni jak żółwie – przy odrobinie szczęścia pozostaniemy w dobrej formie do setki i dłużej.

Fisiowie przyjeżdżają do nas co najmniej trzy razy w roku. Rzucają walizy w przedpokoju i biorą się do ściskania. Bardzo to lubię – babcia Fiś jest ciepła, miękka

i ładnie pachnie. A Gniewek kolejno podrzuca nas pod sufit i łapie... No chyba że NIE złapie, jak to było ostatnio. Pulpet mu się wymsknął i mlasnął o parkiet, aż zadudniło. Gniewek okropnie się speszył i na przeprosiny dał Pulpetowi dwa kapitalne resoraki. Zupełnie niepotrzebnie, bo przecież Pulpet jest opancerzony – łuski chronią nas lepiej niż rycerska kolczuga.

Kiedy już wszyscy wyściskali się wzajemnie, a Tata podał herbatę, zapytaliśmy, co nowego w Warszawie.

– Wszystko dobrze – oznajmiła Babcia. – Pani Wawrzynek zapisała się na Uniwersytet Trzeciego Wieku. Ciocia Michasia ma nowego narzeczonego. Poznała go w redakcji miesięcznika „Twój Kot”... – Tu Tata skrzywił się nieznacznie. – ... A ja zostałam napadnięta i okradziona. – Babcia uśmiechnęła się szeroko.

Rodzina zamarła ze zgrozy.

– I to was bawi? – zapytała Mama.

Popatrzyliśmy na Babcię z niedowierzaniem. Oboje Fisiowie przytaknęli wesoło.

– Oj, bo to takie śmieszne! – Babcia zachichotała. – Można powiedzieć... Napad Stulecia!

– ?????

– Okej. Opowiem od początku... – Babcia rozsiadła się wygodniej. – Otóż w piątki, kiedy pani Wawrzynek ma zajęcia na Uniwersytecie Trzeciego Wieku, wyprowadzam Pusię na spacer. Zwykle chodzimy do parku Morskie Oko. Tam jest budka gastronomiczna Serdelek z piwem i kiełbaskami. Pusi nie sposób odciągnąć od lady – sterczy pod budką i czeka, aż jej ktoś rzuci ochłapek.

– Ten pies wstydu nie zna. Zero godności – przytaknął Tata, który zna Pusię nie od dziś.

– Ja w tym czasie robię ze dwa kółka wokół placu zabaw – kontynuowała Babcia. – No i w miniony piątek – było już ciemnawo i park opustoszał – Pusia jak zwykle kolędowała pod budką, a ja spacerowałam koło zjeżdżalni. I wtedy podszedł do mnie młody dresiarz. Miał kaptur naciągnięty głęboko na oczy. „Dawaj, babciu, kasę!" – warknął i – zanim zdążyłam choćby pisnąć – wyrwał mi torbę.

– Jejciu! – Pulpet przygryzł pazurki z emocji.

– Zaczęłam krzyczeć, zamachnęłam się smyczą, a nawet, w pierwszym odruchu, chciałam go gonić... Ale zaraz potem przypomniałam sobie, CO mianowicie mi zrabował ten młodociany kryminalista... – Babcia roześmiała się ubawiona.

Spojrzeliśmy po sobie zdezorientowani.

– W torbie było jedynie GÓWIENKO Pusi!

Babcia chichrała się w najlepsze.

– Tak! Gówienko! Wiecie przecież, że sprzątam po psie, ilekroć napaskudzi w parku. Zbieram balaski za

pomocą foliowej torebki, a tę torebkę wkładam do innej torby, którą opróżniam do specjalnego kosza przy wyjściu z parku. No i właśnie ten „skarb" ukradł mi Pan Dresiarz. Niech mu będzie na zdrowie!

Teraz śmialiśmy się już wszyscy.

– Jaka szkoda, że nie widzieliśmy jego miny, kiedy wyjął z torby swój ŁUP – westchnął Tata.

– Łup kup. Kup łup! – powtarzał Pulpet i łapką ocierał sobie łzy ze śmiechu.

– Kał brał. Brał kał! – wtórowałam bratu, aż Mama zgromiła nas wzrokiem i odesłała do kuchni.

Malwina i Gniewek poszli z nami przygotować sałatę do obiadu. Przycupnęli na niskich stołkach kuchennych z kolanami pod brodą. No cóż, jesteśmy MNIEJSI. Zdaniem doktora Rąbka, smoki nigdy nie osiągną ludzkiego wzrostu. Nasze meble – z racji rozmiaru – kupione są w Smyku i Fisiom nie jest łatwo poruszać się po mieszkaniu. Dziadkowie nie mieszczą się w łóżku rodziców, toteż śpią na karimatach, nierzadko z nogami w przedpokoju. My nadal przystawiamy stołek do zlewu, żeby umyć sałatę, a Gniewosz sięga bez trudu.

Od czasu ostatniej wizyty oboje się zmienili – Malwina strasznie urosła, a Gniewek ma pryszcze i mutację – od czasu do czasu skrzeczy, zupełnie jak papuga pana kustosza.

– Macie szczęście... was to ominie – westchnął Gniewek, kiedy Pulpet palnął coś nietaktownie na temat trądziku. – Smoki nie mają pryszczy.

– Mamy inne kłopoty – zaprotestowałam. – Choćby... linienie.

Rzeczywiście, linienie jest głupie. Raz na rok smocza łuska matowieje i swędzi, po czym, któregoś ranka, budzimy się gładcy jak świeżo polakierowana karoseria, a obok nas w łóżku leży coś jakby ubranko młodszego rodzeństwa – pomarszczone i szorstkie. Doktor Rąbek nazywa to wylinką. Bleee!

– No co ty! Linienie to genialny wynalazek! – upierał się Gniewosz. – Wyobrażasz sobie... We wtorek, dajmy na to, idę spać z gębą kostropatą niczym powierzchnia Marsa, a w środę wstaję z łóżka przystojny jak Zac Efron czy inne hollywoodzkie ciacho. Żadnych preparatów antytrądzikowych, żadnej papki z drożdży czy innego ptasiego guana... Żyć nie umierać! – Rozmarzył się. – No i mycie odpada... Zmiatasz starego Gniewka na szufelkę i masz to z czapki, chłopie!

Przez chwilę rozważaliśmy głośno, jak wyglądałaby taka wylinka z Gniewosza, ale Malwina pobladła, kazała nam się zamknąć i zagoniła do robienia sałatki.

Pod jednym względem Gniewek jest bardzo podobny do Pulpeta – ciągle popada w jakieś sercowe tarapaty. Tym razem poprosił nas o pomoc w produkcji kartek walentynkowych. Gdyby chodziło o jedną – sam dałby radę. Problem w tym, że Gniewek ma serce jak wiadro – jest w nim miejsce dla wielu ukochanych. Obok Marzeny Pyrkosz, w której (bez powodzenia) durzy się od zerówki, Gniewosz zakochuje się regularnie – raz po raz wzdycha do nowej dziewczyny.

Całe popołudnie spędziliśmy na dekorowaniu kartek kwiatkami i serduszkami wyciętymi z kolorowych pism. Z trudem przekonałyśmy chłopaków, że kartki z emblematem Wisły, portretami piłkarzy, zdjęciami wyścigowych bolidów i Roberta Kubicy niekoniecznie spodobają się licznym narzeczonym Gniewka. W porę też odebrałyśmy Pulpetowi wielką, niebieską muchę

plujkę (ususzoną między kartkami encyklopedii), którą już-już miał przykleić na kartce dla Zuzi Traczyk.

– Zapomnij o muchach, Romeo – skarciła go Malwina.

– Phi! Kobiety są takie... przewidywalne – prychnął mój brat. – Bombonierki, kwiatki... co za nuuuda! A przecież z dwóch takich kapitalnych much, z kosmatymi nogami, można by zrobić parę kolczyków albo efektowną zakładkę do książki. A z larwy powleczonej lakierem nitro to nawet oczko do pierścionka.

– Jeśli będziesz się upierał przy muchach, skończysz jak Norbert Surówka – przestrzegała Malwina. – Jego pierwsza w życiu randka trwała zaledwie dwadzieścia minut. Łaził za dziewczyną przez pół roku, a kiedy wreszcie namówił ją na spacer, postanowił opowiedzieć jej cały przebieg meczu trzecioligowych drużyn Kapiszon Kuligów i Nawałnica Pomiechówek. Przy drugim rzucie wolnym dziewczyna prysnęła pod byle pretekstem.

– Dziwna jakaś! – Pulpet pogardliwie wzruszył ramionami.

– Bo cały problem polega na tym, żeby znaleźć „drugą połówkę jabłka" – ciągnęła Malwina.
– Nie znam się na sadownictwie – przerwał jej Pulpet.
Gniewek uniósł wzrok znad skrawków papieru, westchnął i oznajmił:
– Miłość to jest dziwny sport. Weźmy na przykład nowego faceta cioci Michasi... Na pierwszej randce wygłosił wykład na temat różnych sposobów ODROBACZANIA KOTÓW! I co... Myślicie, że ciotka pogoniła nudziarza? Wręcz przeciwnie! Zmiękła jak wosk.
– Fakt – przytaknęła Malwina. – Trudno uwierzyć. Zaręczyny. Ślub w czerwcu.

Nakryliśmy do stołu i cała rodzina siadła do obiadu. Słój z korniszonami postawiliśmy blisko nakrycia Taty – jak zwykle.
Babcia Fiś chwaliła zmiany, jakie zaszły w Tatusiowym menu od czasu ślubu rodziców.
– No proszę – spaghetti ze szpinakiem. Brawo! – Klasnęła w dłonie. – Koniec z muchami, dzięki Bogu. Czas był najwyższy, mój drogi, żeby zerwać z tym brzydkim przyzwyczajeniem. Poważny smok, na twoim stanowisku, nie powinien uganiać się z packą na muchy po Wawelu.
– Packa nigdy nie była mi potrzebna – zaprotestował Pompon. – A mucha to pokarm tani, ogólnie dostępny i wysokobiałkowy. Ale skoro kobiety nalegały – wyrzekłem się ulubionego przysmaku.

– Czytałem, że smoki w dawnych czasach potrafiły przystosować się do warunków, w jakich przyszło im żyć – mądrzył się Pulpet. – W zależności od diety – rozwijały się u nich różne umiejętności. Smoki japońskie jadały ryby i dobrze nurkowały w poszukiwaniu pokarmu. Z kolei smoki w Ameryce – przed Kolumbem, rzecz jasna – jadały...

– Big maki i coca-colę! – wszedł mu w słowo Gniewek.

– Idiota – skwitowała Malwina.

– ... bulwy ziemniaka i dziką kukurydzę – dokończył Pulpet, lekko nabzdyczony. – Wykopane bulwy smoki zręcznie opiekały gorącym oddechem.

– Ciekawe, skąd to wszystko wiesz, skoro nie istnieją żadne pisemne przekazy z czasów przed Kolumbem? – zapytałam.

– Pismo obrazkowe – wzruszył ramionami Pulpet.

Tata przysłuchiwał się uważnie, doprawiając swoją porcję makaronu.

– Pomponie, czy możesz mi podać odrobinę tego parmezanu? – zapytała babcia Fiś, wskazując na bladożółte wiórki, którymi Tata posypywał swoje spaghetti.

– Lepiej NIE! – Mama wyjęła z rąk Pompona twardy kawałek czegoś, co wydawało się serem. Po czym dodała, zakłopotana: – Rozumiesz... nie ze wszystkich ulubionych przysmaków Pompon zrezygnował. To nie parmezan. To... SZARE MYDŁO.

Taniec nie jest moją najmocniejszą stroną. Zgoda – mam kilka swoich popisowych numerów, ale dużo mnie kosztowało, żeby dotrzymać kroku Pulpetowi, który jest urodzonym tancerzem. Więc kiedy pani Hela oznajmiła, że nasza klasa ma nauczyć się oberka i odtańczyć go podczas szkolnych dożynek – wiedziałam, że nie będzie lekko.

Problem w tym, że nie jestem wysoką blondynką, wiotką jak Miss Mazowsza. Nawet kiedy wspinam się na palce, mój nos tkwi na wysokości pępka Bartka Pacułki, z którym tańczę w parze. Chcąc nie chcąc, Pacułka zgina się w paragraf, żeby objąć moją smoczą talię. Co wam będę mówić – wyglądamy jak para cyrkowców w ryzykownej pozie. Na dodatek czapka krakuska zsuwa się Pacułce na uszy, pawie piórko smyra mnie po nosie i kicham od tego. A musicie wiedzieć, że kichnięcie smoka różni się od banalnego ludzkiego „a psik!”.

Za pierwszym razem podmuch sprawił, że Pacułce odpadły guziki od serdaczka, a pasiaste spodnie wzdęły się jak spinaker na pełnym morzu. Wściekł się i poleciał do pani na skargę. A przecież to nie moja wina, że wymiotło mu z kieszeni całą tygodniówkę i wszystkie ściągi z matmy.

Za drugim kichnięciem guziki ocalały, ale krakuska Pacułki przefrunęła przez całą salę gimnastyczną i huknęła w transparent: „NAUKĄ I PRACĄ LUDZIE SIĘ BOGACĄ", aż „SIĘ" odpadło. A wstążki od czapki to nasza woźna, pani Wyrodek, musiała zbierać z drabinek pod sufitem.

Pacułka najpierw rozpłakał się ze złości i tupał nogami, a potem przyłożył mi wieńcem dożynkowym.

Nazajutrz przyniósł zaświadczenie od rodziców, że taniec mu szkodzi.

Straciłam partnera do oberka – Pacułka wylądował w chórze. Stanął w drugim rzędzie i zawodził jak koza. Fałszował tak bardzo, że pani Hela kupiła mu *100 łatwych krzyżówek* i kazała rozwiązywać, byle nie śpiewał.

Zapytacie – dlaczego w takim razie nie tańczę z Pulpetem? Ano dlatego, że mój brat od miesiąca ugania się za Zuzią Traczyk i nie chciał słyszeć o innej partnerce. Podarował nawet Funiowi breloczek Opla, w zamian za miejsce w parze z Zuzią. Nie przeszkadza mu, że sięga jej ledwo do łokcia – wywijają oberka, aż podskakują portrety wieszczów na ścianach.

Nie ma nic bardziej żałosnego niż zakochany Pulpet. Wieczorami wzdycha i skrobie wiersze w zeszycie z napisem „Zuzia".

Nie byłoby w tym nic złego, gdyby nie to, że w szufladzie biurka leżą już zeszyty zatytułowane: „Basia", „Kamila", „Marcysia", „Karolina"...

Lubię deszcz. Opady niestraszne smokom. W przeciwieństwie do ludzi, którzy w deszczu tracą na urodzie, my jesteśmy wodoodporni. Nawet Zuzia Traczyk, najładniejsza dziewczyna w szkole, podczas ulewy wygląda jak zmokła kura. Tymczasem nasza jaskrawozielona smocza łuska lśni pięknie po deszczu, jak polakierowana.

W czasie ulewy całe miasto jest nasze – ludzie czmychają do domów albo stoją w bramach, a my z Pulpetem bierzemy rowery i pędzimy opustoszałymi ulicami, rozchlapując największe kałuże. Najfajniej jest pod wiaduktem, gdzie od pół roku zatkane są burzowce.

Tam tworzy się rozlewisko i woda sięga po osie. Mętna, brunatna zupa kotłuje się wokół kratek ściekowych, a my – ziuuu! – z impetem wjeżdżamy w tę breję obryzgani błotem po uszy.

Po takiej wycieczce, przed powrotem do domu zahaczamy jeszcze o miejską fontannę. Opieramy rowery o krawędź, włazimy do wody i pod siusiającym kamiennym delfinem spłukujemy błoto.

Któregoś razu trafił nam się wodoodporny strażnik miejski, który uparł się spacerować po deszczu, zamiast siedzieć grzecznie, jak inni, w domu.

– Mandacik! – huknął na nas i wyjął bloczek mandatowy.

– Słucham?! – Pulpet zatrzepotał rzęsami z miną zranionej niewinności. Myślałby kto, że nie słyszał o zakazie kąpieli w fontannie.

Strażnik bez słowa wskazał tablicę (wielkości kiosku z gazetami), na której jak wół widniał znak z przekreśloną sylwetką dziecka w kąpieli.

Pulpet wpatrywał się w strażnika nierozumiejącym wzrokiem.

– Za-kaz ką-pie-li w fon-tan-nie – przesylabizował mężczyzna. – Sto złotych – dorzucił i wyjął długopis.

– Bardzo słusznie! – Mój brat skwapliwie skinął łebkiem, gramoląc się przez krawędź fontanny – Powiem więcej... Uważam, że kara jest zbyt łagodna dla pozbawionych wyobraźni smarkaczy, którzy pochopnie ryzykują życie, kąpiąc się w publicznej fontannie! Nigdy, przenigdy nie pozwoliłbym żadnemu dziecku na takie wybryki.

– ???? – Sroga mina strażnika ustąpiła miejsca zdziwieniu.

– Dzisiaj fontanna, jutro napad z bronią w ręku! – plótł coraz głośniej Pulpet. – Niepodobna pobłażać dzieciakom, które nie respektują regulaminów miejskich. Porządek przede wszystkim!... Zawsze to powtarzam.

– Eeeee... – Strażnik otworzył usta i zamarł z długopisem zawieszonym w pół drogi nad bloczkiem mandatowym.

– Dlatego właśnie, wraz z siostrą... – tu Pulpet wskazał na mnie – ...w każdy piątek społecznie odstraszamy dzieci od tej niebezpiecznej rozrywki. Z pewnością pan zauważył, że jesteśmy smokami...

– Tak... Nie... To znaczy... – Strażnik kiwnął głową zakłopotany.

– I otóż musi pan wiedzieć, że tak właśnie rozumiemy nasz smoczy obowiązek. Skoro już ludzie uparli się, żeby nam przypisywać krwiożerczy charakter, robimy mądry użytek z lęku przed smokami. Nigdy pan nie zgadnie, ile dzieci zaprzestało dłubania w nosie i siorbania, dzięki straszeniu smokiem. „Nie kłam, Karolu, bo przyjdzie smok i przypali ci grzywkę" – mówi niania. I – nie uwierzy pan – Karolek przestaje kłamać. Jak ręką odjął!

Nie przerywając paplaniny, Pulpet pomógł mi wyleźć z fontanny i sięgnął po rower.

– Zapewne słyszał pan o nas... „Pulpet & Prudencja – Smoczy Wolontariat. Odstraszanie. Obrzydzanie. Likwidacja złych nawyków".

– Nieeee, obawiam się, że pierwszy raz... – bąknął strażnik i podrapał się długopisem za uchem. Mokry bloczek mandatowy oklapł mu na deszczu.

Pulpet dyskretnie puścił do mnie oko i wskoczył na siodełko.

– W pełni rozumiemy sens pańskiej misji. Życzymy wielu sukcesów w tej niełatwej pracy – wyrecytował obłudnie i nacisnął na pedały. – Może pan na nas liczyć. Do zobaczenia!

Zanim skręciliśmy za róg ulicy, obejrzeliśmy się przez ramię. Osłupiały strażnik nadal mókł na deszczu i gadał do siebie.

– Dałabym głowę, że twój nos wydłużył się o dwa centymetry – powiedziałam do brata. – Pinokio to przy tobie szczery, prawdomówny chłopczyk.

– Milcz, niewdzięczna! Właśnie ocaliłem nasze półroczne oszczędności! – obruszył się Pulpet.

Ale po chwili namysłu przyznał ze skruchą:

– No cóż. Małe kłamstwo w obronie zdrowego rozsądku. Założę się, że w regulaminie miejskim nie ma mowy o SMOKACH w fontannie. Co nie jest zabronione – jest dozwolone, czyż nie? – Uśmiechnął się chytrze.

W szkole pojawił się facet z radia. Wparował do klasy w środku lekcji. Wyszczerzył białe zęby w uśmiechu i szurnął nogą w ukłonie.

– Moi drodzy – powiedziała pani Hela. – Oto pan Szymon Kurka, asystent reżysera dźwięku. Pan Szymon poszukuje ciekawych głosów do słuchowiska. Czy któreś z was chciałoby popróbować swoich sił w radiu?

– Po lekcjach czy w czasie lekcji? – trzeźwo zapytał Funio, który jest zagrożony z matmy i ma powody, żeby wiać ze szkoły pod byle pretekstem.

– PO lekcjach, ma się rozumieć – fuknęła pani Hela.

Funio natychmiast oklapł i stracił zainteresowanie panem z radia.

– A jaka hola? Bo ja byłbym bahdzo zaintehesowany – wyrwał się Romek, klasowy mądrala, który nie wymawia „r".

Pan z radia uśmiechnął się odrobinę, ale wyjął notes i zapytał:

– Jak się nazywasz, chłopcze?

Uszy Romka zaczerwieniły się gwałtownie, jak zawsze, kiedy kazano mu się przedstawić.

– Homek Hohawa – wykrztusił.

– ???? – Pan Kurka uniósł brwi pytająco.

– Roman Horawa... – podpowiedziała pani Hela litościwie.

– Romek... pięknie... – Facet uśmiechnął się krzywo. – A więc, mój drogi Romku, trzeba ci wiedzieć, że szukamy młodego aktora do roli SMOKA.

Jak na komendę oczy całej klasy zwróciły się na nas. Pan Kurka podążył za wzrokiem uczniów i teraz dopiero zauważył nas w rzędzie pod ścianą. Na twarzy

radiowca pojawił się dobrze nam znany wyraz osłupienia. Zwykle mija sześć do ośmiu sekund, zanim ludzie zapanują nad głupkowatym wyrazem twarzy. Pan Kurka był naprawdę dobry – zamknął rozdziawione usta już po trzech sekundach.

– Uchodźcy? – zwrócił się szeptem do pani Heli.

– W pewnym sensie – odpowiedziała nauczycielka z niewzruszoną miną. – Smoki. Chłopiec i dziewczynka.

– Mówią po polsku?

– A jakże.

– Gadam, latam, pełny serwis! – mruknął mój brat pod nosem.

– Pulpet, Prudencja... pozwólcie na środek. Pulpet, czy mógłbyś zdjąć beret? – syknęła pani Hela i popchnęła nas bezceremonialnie w stronę gościa.

Wykonaliśmy zgrabny dyg, po czym Pulpet skubnął radiowca za nogawkę i dał mu znak, żeby się pochylił. Przez chwilę szeptał coś do ucha pana Kurki, z czego usłyszałam jedynie: „zaliczka" i „gotówka". Radiowiec lekko poczerwieniał na twarzy, po czym przytaknął niechętnie, wyprostował się i oznajmił:

– No cóż, chyba nie ma sensu, żebym szukał dalej. – Zatrzasnął notes. – Czy może być ktoś bardziej nadający się do roli smoka niż... smok? Jeśli nie macie nic przeciwko temu, spotkamy się we wtorek o szesnastej w budynku Radia.

Zgodziliśmy się bez ceregieli i pan Kurka wyszedł.

– Nohmalka! Wybhano najgohszego, z nahuszeniem nohm sphawiedliwości – powiedział Romek i ostentacyjnie odwrócił się do nas plecami.

Mama przyjęła wiadomość o naszej radiowej karierze bez entuzjazmu.

– Żeby tylko wam się w łebkach nie poprzewracało. Słuchowisko – proszę bardzo, ale nie chcę słyszeć o żadnych reklamach margaryny, batonów ani kleju do protez!

– Klej do protez?! – rozpromienił się Pulpet. – Interesujące! Miałbym kilka pomysłów...

– Ani się waż, synu! – ostrzegła Mama i widać było, że nie żartuje.

– Ja też miałem swoje pięć minut w mediach. Dawne czasy... – szepnął Tata i wcisnął nam w łapki po piątalu. Na lody w radiowym bufecie.

We wtorek Mama założyła swoje najładniejsze kolczyki, psiknęła się za uszami Chanel nr 5 i zawiozła nas do Radia, które sąsiaduje z budynkiem Telewizji.

Pan Kurka już czekał. Szybko przeprowadził nas przez tłum gapiów do studia nagrań.

Był to niewielki pokój bez okien, za solidnymi, dźwiękoszczelnymi drzwiami. Wszystko tu było miękkie w dotyku – gruba wykładzina na podłodze, obity filcem stół, a nawet sufit wyłożony dziurkowanym styropianem. Nad stołem wisiały duże mikrofony, każdy opatrzony w czarne, okrągłe sitko. Zza wielkiej, przeszklonej ściany gapił się na nas wściekle malutki jegomość w jaskrawej, kraciastej koszuli.

– Reżyser – szepnął pan Kurka.

Facet za szybką pochylił się do mikrofonu i usłyszeliśmy z głośników:

– Nooo, nareszcie! Tu się pracuje, tu się spóźniać nie wolno!

Zerknęłam na zegar ścienny. Wskazywał DWIE po szesnastej. Kredyt sympatii dla Kraciastego natychmiast się wyczerpał.

– Nam też miło pana poznać – powiedział Pulpet do mikrofonu (z ledwo wyczuwalnym jadem) i wyszczerzył wszystkie sześćdziesiąt cztery zęby w hollywoodzkim uśmiechu.

– Dobra, zaczynamy! – mruknął w odpowiedzi reżyser i klapnął na stołek za konsoletą. – Facet po lewej. Kobitka po prawej. Mamusi dziękujemy.

Chwilę trwało, zanim dotarło do mnie, że „facet” to Pulpet, „kobitka” to ja, a „mamusia” to nasza Mama – Pepsikola.

Pan Szymon, odwróciwszy się plecami do reżyserki, zrobił przepraszającą minę, jakby chciał powiedzieć: „nie mam nic wspólnego z tym gościem". Wskazał nam krzesła, przysunął mikrofony, po czym ujął Mamę za łokieć i poprowadził do wyjścia.

Wyjęłam z siatki pluszowego Snoopy'ego, Shreka i Prosiaczka i ustawiłam w szeregu na stole – na szczęście.

Następna godzina upłynęła nam na recytowaniu zdań, od których szczęki sztywnieją, a język zwija się w precel: W czasie suszy szosa sucha. Suchą szosą Sasza szedł... No i cóż, że ze Szwecji... Tchnie wicher w puch

chmurom... Dech w chrapach charkocze... Kto liryczny flirt filmuje, figle z filtrem afirmuje...

Widocznie nie wypadliśmy najgorzej, bo na koniec ryżyser mruknął:

– Kupione! Na dziś wystarczy. Smarkacze – do domu.

– My także dziękujemy panu za owocną współpracę – powiedział Pulpet i zeskoczył z krzesełka.

Tym razem Kraciasty spojrzał na nas uważnie przez szybę reżyserki, jakby zaczął kumać, że mamy go za skończonego gbura.

Mama czekała na nas za drzwiami. Pan Szymon wskazał nam drogę do radiowego bufetu, bo Pulpet uparł się wydać kieszonkowe od Taty.

Stanęliśmy w kolejce, ale zza wysokiej lady wcale nie było nas widać, więc kiedy nadeszła nasza kolej, Pulpet obszedł ladę od tyłu i przycupnął tuż za plecami pani bufetowej. Zadarł łebek, wyciągnął łapę z drobnymi i powiedział głośno:

– Trzy porcje śmietankowych poproszę.

Bufetowa, bujna kobieta w średnim wieku, podskoczyła jak na sprężynie i wykonała gwałtowny obrót, od którego zadzwoniły szklanki w kredensie. Spojrzała na Pulpeta, wytarła ręce w fartuch i rozpuściła buzię:

– Ile razy mam mówić, żeby telewizyjne nie przychodziły w łachę do radiowego bufetu? Skaranie boskie z tymi komediantami! Przyłażą mi tu poprzebierane, wypacykowane, nawet ogona taki jeden z drugim nie odepnie do obiadu! W zeszłym tygodniu pół tuzina krasnoludków przyszło na moje gołąbki, sztuczne brody sobie sosem pomidorowym upaćkali. Wczoraj – uwierzycie państwo? – Hitler przyszedł. Z Teatru Telewizji. I zamawia dwie jagodzianki. A ja mu mówię: „Już ja ci dam dwie jagodzianki, nazisto! Uciekaj mi stąd, ale już! Nie będziesz mi tu klientów straszył tą grzywką i mundurkiem"... Przebierańcy! Tfu! Na psa urok!

Wskazała na Pulpeta i zwróciła się do oczekujących w kolejce:

– No sami państwo powiedzcie, czy ja mogę pracować w takich warunkach? Wczoraj kosmita stłukł mi kinkiet antenką, a dzisiaj ten dinozaur pcha mi się za bufet.

– Dinozaur?!! – żachnął się Pulpet. – Dinozaur!? Jestem SMOKIEM!

– Mój drogi, mnie tam wszystko jedno, z jakiej dobranocki się urwałeś, byleś mi się tu nie kręcił w tym tekturowym pokrowcu – huknęła bufetowa.

Z furią rzuciła na ladę trzy porcje lodów, wydała resztę i zajęła się kolejnym klientem.

– Wysokoenergetyczna kobieta – oznajmił Pulpet, rozwijając loda z papierka. – Prawdziwa SMOCZYCA!

Po czym, niezrażony grubiańską odprawą, postanowił, że za następną wizytą w Radiu znowu odwiedzi panią bufetową.

Dwa tygodnie później nadszedł list, w którym pan Kurka zawiadamiał nas, że – owszem – nadajemy się. W kopercie znaleźliśmy też umowę, z której wynikało, że za każdy dzień nagrania dostaniemy – tadaam! tadaam! – forsę.

– To znacznie więcej niż obie nasze tygodniówki razem wzięte – ucieszył się Pulpet. – Jejciu, będziemy bogaci!

I zaraz zrobiliśmy listę rzeczy, jakie chcielibyśmy sobie kupić za radiową kasę:

– mnóstwo kisielu żurawinowego

– puszysty dywanik na kibelek (taki sam, jaki widzieliśmy w domu Zuzi Traczyk)

– chińskie bierki z bambusa
– fotel bujany
– album o legwanach
– kulki szklane
– zestaw „mały hydraulik"
– papucie w kształcie smoczych łebków
– przyczepkę do roweru
– tchórzofretkę
– złotopiszące pisaki
– wycieczkę do Transylwanii.

Ten ostatni punkt dopisał Pulpet. Od kiedy Tata wspomniał o naszych nieznanych przodkach – mój brat gromadzi wszystkie wzmianki na temat smoków europejskich. Grzebie w Internecie, zbiera wycinki prasowe i na całe dnie zaszywa się w bibliotece. Pulpet twierdzi, że często, ilekroć mowa o smokach, pojawia się słowo „Transylwania" – nazwa górzystej krainy w Rumunii. Stąd mój brat nabrał przekonania, że pochodzimy z Karpat rumuńskich.

Nie powiem, żeby mi się ten pomysł podobał – Transylwania ma złą sławę jako ojczyzna wampirów. A ja lubię myśleć o swoich przodkach jako o miłych, przyjacielskich smokach, które nie skrzywdziłyby nawet muchy. Chociaż... co do much... to nasz Tata jest pewnie innego zdania.

Koniec świata! Kępka Żaklina zaprosiła nas na przyjęcie urodzinowe.

Nie poprawiajcie mnie. Wiem przecież, że najpierw powinno być imię, a potem nazwisko. Problem w tym, że kiedy nauczyciele pytają: „jak się nazywasz, dziewczynko?", ona zawsze odpowiada jednym tchem: „kępkażaklina". Więc i my tak na nią mówimy.

Tata Żakliny jest producentem parówek. Po szkole krążą najdziksze plotki na temat domu, w którym mieszkają Kępkowie. Że ma fosę napełnioną wodą. I wieżę. I basen. I oranżerię, w której rosną egzotyczne rośliny muchołówki.

W zasadzie Żaklina nie koleguje się z nami. Zwykle ledwo odpowiada na nasze „cześć". A tu – proszę – niespodzianka. Podeszła na przerwie i bez słowa wręczyła nam dwie różowe koperty ozdobione brokatem, z nadrukiem: „zaproszenie". Pulpet to nawet dwa razy upewnił się, czy to aby na pewno dla niego, taki był zdziwiony. Potem – już w domu – zorientował się, że imieniny wypadają w dniu ważnego meczu piłkarskiego i zaczął kombinować, jak by tu się wymigać od wizyty. A ja na to: „Niedoczekanie! Zamierzam na własne oczy zobaczyć te złote rybki w fosie. I podgrzewany, grający sedes. I całkiem nowy nos pani Kępki, uformowany przez chirurga plastycznego... Więc zapomnij o meczu, braciszku!".

Rodzice wydawali się nie mniej od nas zdziwieni zaproszeniem. Na próżno przekonywałam Mamę, że książka o Misiu Paddingtonie nie jest dobrym pomysłem na prezent dla Żakliny. I że zestaw do pielęgnacji paznokci byłby znacznie lepszy. Mama i tak postawiła na swoim. Zapakowała książkę w śliczny papier z kokardą i zawiozła nas na miejsce.

Dom okazał się prawdziwą twierdzą. Najpierw niewidzialny ochroniarz przepytał nas przez domofon do kogo i w jakiej sprawie, a potem brama otworzyła

się bezszelestnie i – ach! – zobaczyliśmy miniaturowy Disneyland. Dom miał kształt zamku Królewny Śnieżki z chudą wieżyczką w kolorze parówki. Na jej szczycie tkwiła ogromna głowa Kaczora Donalda.

– Jejciu! – powiedziała Mama.

– Jejciu! – powtórzył Pulpet.

Co ja wam będę mówić... mocna rzecz!

Drzwi otworzył facet w ubraniu komandosa. Nie był to wcale tata Żakliny. Dałabym głowę, że w kaburze miał najprawdziwszą broń.

Najwyraźniej uprzedzony, że jesteśmy smokami, nie okazał zdziwienia. Na dzień dobry poprosił Mamę o pokazanie zawartości torebki.

– Nie ma mowy – odpowiedziała spokojnie Mama. Coś w jej głosie musiało zastanowić faceta, bo nie nalegał i wskazał nam drzwi w głębi.

Salonik państwa Kępków był sporych rozmiarów. Szczerze mówiąc – można by w nim rozegrać finałowy mecz o puchar FIFA. Wyścielony różowym atłasem, wyglądał jak wnętrze luksusowej trumny z amerykańskich filmów. Na puszystej wykładzinie uganiała się połowa naszej klasy i drugie tyle zupełnie obcych dzieciaków.

Przez minutę staliśmy w progu, ale już po chwili obstąpiła nas gromada wystrojonych w falbany i komunijne garniturki gości. Zanim zabrali się do powitalnego skubania i poszturchiwania (co zdarza się zawsze,

ilekroć pojawiamy się w nowym otoczeniu), przez tłumek przepchała się jaskrawo ubrana pani.

– Kępczyna – huknęła basem i podała naszej Mamie, jakby do pocałowania, czubki palców uzbrojonych w długie tipsy.

Przyjrzałam się dyskretnie robocie chirurga. Phi! Perfekcyjny nos pani Kępkowej wydał mi się zupełnie zwyczajny. Ani ładny, ani brzydki. Trochę siny.

Kiedy nasze mamy zajęły się rozmową, z tłumu gości wyłoniła się Żaklina. Bez słowa wymierzyła w nas obiektyw aparatu fotograficznego i zaczęła – raz po raz – trzaskać zdjęcia. Przyciskała migawkę nawet wtedy, kiedy próbowaliśmy jej wręczyć prezent.

Po minie Pulpeta poznałam, że bardzo mu to było nie w smak. Jeszcze chwila, a dym poszedłby mu z nosa.

Kiedy Mama oddaliła się, żeby zwiedzać salę bilardową – daliśmy nura pod bufet. Byle dalej od Żakliny i jej aparatu.

– Uchhh! – sapał z irytacji Pulpet. – Słyszałaś? Słyszałaś, co powiedziała? Rozpakowała prezent i powiedziała: „Książka? POGIĘŁO WAS?!!".

Chwilę później przyłączyliśmy się do dwóch chłopaków budujących szałas w odległym rogu salonu. Nieźle im to szło. Z odwróconych do góry nogami krzeseł i kolorowych papierów od prezentów uformowali całkiem spory domek. Wyścielony poduszkami ściągniętymi z sofy, zaopatrzony w ciasteczka przyniesione z bufetu domek okazał się niezłą kryjówką. Bracia – Staś i Jaś – zadali nam mnóstwo pytań dotyczących smoków, a potem, w rewanżu, ujawnili SEKRET – kulisy nieoczekiwanego zaproszenia Żakliny.

– Ona chce wasze zdjęcia sprzedać do „Pinczerka". To taki plotkarski portal w Internecie – powiedział Jaś.

– Żaklina ma łeb do interesów – dorzucił Staś. – Zbiera kasę na miniaturowy, elektryczny samochodzik porsche. Wykombinowała, że kupi go za forsę, jaką dostanie od „Pinczerka".

Pulpet nic nie odpowiedział, ale widać było, że myśli gorączkowo. Koniuszki uszu pozieleniały mu z gniewu. Przez chwilę jak automat wrzucał w siebie ciasteczka, a potem wydał komendę:

– Idziemy!

Odszukaliśmy Mamę. Pulpet poszeptał z nią przez chwilę.

Nie minęły trzy minuty, jak obok nas pojawiła się Żaklina. Wyrosła jak spod ziemi i prawie wjechała Pulpetowi do nosa długą lufą obiektywu. Tym razem bez protestów poddaliśmy się sesji fotograficznej. Pulpet posłusznie przykucał, wywijał ogonem, szczerzył zęby w fałszywym uśmiechu. Ja pozwoliłam nałożyć sobie na głowę salaterkę i żonglowałam kandyzowanymi wiśniami.

Cierpliwie czekaliśmy na moment, kiedy pojawi się zapowiedziany tort urodzinowy.

I wreszcie – uwaga! uwaga! Światło przygasło, a z głośników popłynął refren *Happy birthday*. Drzwi hallu otworzyły się. Wjechał przez nie barek popychany przez mamę i tatę Kępków. Na barku piętrzył się ogromny jaskraworóżowy tort, w który zatknięte było dziesięć płonących świec, grubych jak gromnice. Goście zaczęli klaskać, a Żaklina ODŁOŻYŁA na fotel aparat fotograficzny.

Na ten właśnie moment czekaliśmy. Pulpet zasłonił mnie odrobinę, a ja błyskawicznie porwałam porzucony aparat. Rakiem wycofaliśmy się pod ścianę i dalej, w ciemnościach, słabo rozświetlonych blaskiem urodzinowych świec, dotarliśmy do łazienki.

– Fik-mik! – mruknął Pulpet, wyłuskując listek pamięci z aparatu.

– Chlup-siup! – szepnęłam, wkładając pamięć pod kran z zimną wodą.

– Pops-klops! – oznajmił mój brat, polewając chip (dla pewności) wybielaczem Ace.

– Szastu-prastu! – zanuciłam i zamalowałam obiektyw aparatu lakierem do paznokci pani Kępki.

A potem zgodnie złożyliśmy aparat do kupy i przybiliśmy sobie piątkę.

Niech się „Pinczerek" w ogon ugryzie! A Żaklina razem z nim!

Doktor Rąbek się zakochał! Nie mam pojęcia, jakim cudem znalazł na to czas. Od kiedy na dobre przeprowadził się do Krakowa, siedem dni w tygodniu spędza w Pawilonie Gadów. Biega od terrarium do terrarium, zagląda głęboko w oczy salamandrom i jaszczurkom. Karmi legwany i drapie za uchem warany z Komodo. Ludzi dostrzega o tyle tylko, o ile podzielają jego zainteresowania gadami. A tu nagle – bęc! Zakochał się w dziewczynie, która nie odróżnia traszki od rzekotki. Być może nawet – wstyd powiedzieć – nie wie, co to tajpan, a co ślepucha.

Nagłe uczucie dopadło doktora Rąbka w dziale warzywnym supermarketu. Podobno niezgrabnie manewrował wózkiem z zakupami i huknął w piramidę kalafiorów. No i jakaś miła studentka pomogła mu pozbierać te kalafiory z podłogi. Od słowa do słowa, doktor zaprosił studentkę na pączki i przez pół godziny pomilczeli sobie nad herbatą (bo Rąbek jest okropnie nieśmiały, a studentka małomówna). No i, po tak udanej randce, umówili się na następną. Tym razem milczeli już całą godzinę.

Mama mówi, że znajomość rozwija się bardzo obiecująco – Kazio Rąbek przedstawił ukochaną rodzicom. Podczas rodzinnego obiadu Jagusia – bo jej Jagoda na imię – rozgadała się. Powiedziała dwa zdania: „Listopad deszczowy w tym roku" i „Czy mogę prosić o cukier?". A doktor Rąbek? Nie uwierzycie – ani słowa o gadach. Ani nawet o płazach. Milczał tylko baaaardzo znacząco, gapiąc się na tę swoją kalafiorową narzeczoną cielęcym wzrokiem.

Po lekcjach wpadliśmy do Gabrysi, żeby obgadać sprawę dobrych uczynków. Gabrysia dała harcerskie słowo honoru, że do końca tygodnia dokona szlachetnego czynu. Obiecaliśmy jej w tym pomóc. Czas leci, a tu jak na złość nie widać żadnej staruszki w potrzebie ani zabłąkanego pieska.

Pulpet zaproponował, żeby w czynie społecznym zdewastować automat do gier, w którym pan Kupiszek przepuszcza połowę swojej pensji. Byłoby to bardzo szlachetnie – wielodzietna rodzina Kupiszków odetchnęłaby z ulgą.

Już-już rzuciliśmy się na poszukiwanie młotka, kiedy Gabrysia dodała, że to na nic, bo pan Kupiszek z pewnością kopnie się do innego automatu, choćby na drugi koniec miasta. Taki to już paskudny nałóg.

Pomysł, żeby ulżyć w pracy nauczycielom i wywołać w szkole epidemię, która spowodowałaby odwołanie lekcji na jakiś, powiedzmy, miesiąc, także nie przypadł Gabrysi do gustu. Nawet nasza obietnica, że to byłaby bardzo łagodna odmiana smoczej kichawki, jej nie przekonała.

W tej sytuacji nie pozostało nam nic innego, jak tylko iść na łatwiznę. Zamalowaliśmy wulgarne graffiti na śmietniku, pomogliśmy dozorcy odśnieżyć podjazd i wytłumaczyliśmy ułamki Helence Kupiszkównie. Po jednym dobrym uczynku na główkę. Do wieczora puszyliśmy się z powodu naszych zalet i szlachetności. Bardzo przyjemne uczucie.

Kolejna wizyta w Radiu była równie przyjemna jak poprzednie, to znaczy tylko trochę fajniejsza od borowania w zębach. Reżyser, którego nazywamy Kraciasty, przeczołgał nas, tak jak to ma w zwyczaju. Polecenia wydawał za pomocą warknięć, ochrzaniał bez powodu i nie tracił czasu na żadne uprzejmości.

Kiedy pierwsza godzina nagrania dobiegła końca, co reżyser skwitował krótkim: „Przerwa!", szczekniętym do mikrofonu, Pulpet postanowił, że odpłaci mu pięknym za nadobne.

Poczekaliśmy, aż pokój z konsoletą opustoszeje. Pulpet ześlizgnął się z krzesełka i na zakurzonej szybie, która dzieliła nas od stanowiska reżysera, palcem napisał wspak taki oto wierszyk:

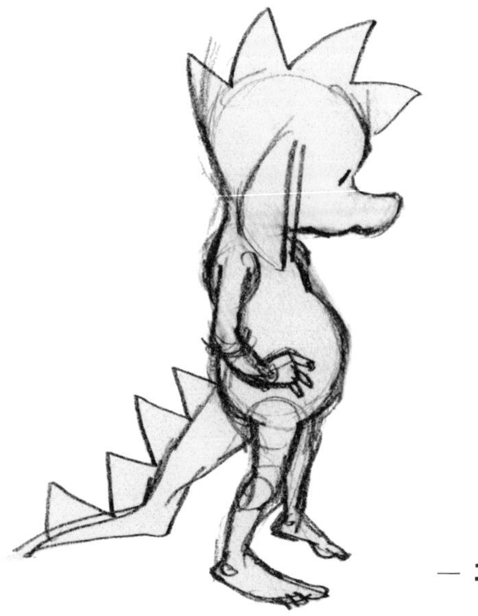

Na nic matura
w wypadku gbura
Rozum – jak kura
tupetu fura
marna postura
szpetna natura
Uprzejmość? – bzdura!
w mniemaniu gbura

Na pierwszy rzut oka wierszyka nie było widać, ale kiedy nagranie rozpoczęło się ponownie, po kilku minutach zauważyliśmy, że reżyser uważnie wpatruje się w szybę, bezgłośnie literując napis. Po chwili spurpurowiał i zaczął się wiercić.

Nagranie trwało, recytowaliśmy swoje teksty, z trudem powstrzymując się od chichrania.

Teraz już i inne osoby za szybą dostrzegły napis. Pan Kurka uśmiechał się nieznacznie. Technicy trącali się łokciami.

– Ratuj, bohaterze! – czytałam z kartki swoją kwestię.

– ... Jakem Kalasanty, najszlachetniejszy ze smoków, nie opuszczę cię, pani, w potrzebie... – recytował Pulpet z niewzruszonym spokojem. Tylko ogonkiem kręcił ósemki, co zdradzało, że jest ciut zdenerwowany.

– Stop! DZIĘKUJĘ – usłyszeliśmy zza szyby.

Było to pierwsze „dziękuję", jakie padło z ust Kraciastego! Wymieniliśmy z Pulpetem porozumiewawcze spojrzenia. A więc facet nie jest takim totalnym paździerzem, jak mogłoby się wydawać. Ha!

Po nagraniu Pulpet uparł się odwiedzić radiowy bufet. Zaciągnął Mamę i mnie do zatłoczonej salki. Jak zwykle długa kolejka wiła się do lady. Tym razem stali w niej Trzej Królowie, Matka Boska i pół tuzina pastuszków. Święty Józef zdjął brodę na gumce i palił papierosa za drzwiami.

W okienku rządziła pyskata bufetowa. Tym razem zauważyła nas z daleka.

– Aaaaa, Dinozaur z rodziną! Znowu cię obsadzili? Niech zgadnę – gracie w szopce? Koniec świata! To już osioł i wół nie wystarczą, trzeba takie cudaki do stajenki zapraszać?

– Jestem smokiem! SMOKIEM! Ile razy mam powtarzać? – zdenerwował się Pulpet.

– Smoki w Betlejem? Pierwsze słyszę! – Bufetowa, nie przerywając rozmowy, nakładała kopiaste porcje na talerze. – Mam dzisiaj pyszny bigosik. To jak... trzy porcje?

– Z mięsem? – Mój brat wspiął się na palcach i nieufnie zapuścił żurawia do gara z bigosem.

– A jakże! Kiełbaska, boczuś, żeberka...

– Bleee! – Pulpet wdrygnął się z obrzydzeniem i, odwracając się w naszą stronę, udał, że wymiotuje. Mama złapała go za ogon, odciągnęła od lady i czym prędzej zamówiła trzy kanapki z serem.

– A zdejmijcie chociaż te głowy, bo się zgrzejecie – krzyknęła za nami bufetowa, kiedy oddalaliśmy się w kierunku wolnego stolika.

Ledwo zdążyliśmy siorbnąć herbaty, kiedy w drzwiach ukazał się pan Kurka. Pomachał nam na progu i przepchnął się przez tłum do naszego stolika.

– Cud! Dokonaliście cudu! – wysapał i klapnął na krzesełko. – Reżyser odmieniony! Nie ryczy, nie klnie, nie wścieka się wcale... Czary czy co?

– Eeee tam! – Pulpet machnął łapką lekceważąco. – Jakie tam czary... Po-e-zja! Poezja ucywilizuje nawet najgorszego buraka. A ja – musi pan wiedzieć – jestem niezwykle utalentowany poetycko. Niezwykle!

– Kura–gbura, natura–matura... W istocie, niepospolite rymy – powiedziała Mama, a Pulpet spojrzał na nią uważnie, niepewien, czy mówi serio czy kpi.

– Talent i SKROMNOŚĆ. Dwie zalety w tym niedużym, zielonym ciałku. – Wskazałam na Pulpeta, a on zrozumiał wreszcie, że się z niego nabijamy.

– Sama jesteś ciałko! – syknął wściekle i zanurkował nosem do kubka z herbatą.

– Moi drodzy, jestem wam ogromnie wdzięczny – powtórzył pan Kurka. – Nikt z nas, dorosłych, nie miał odwagi zwrócić reżyserowi uwagi, ilekroć bywał... eee... nie dość... eee... uprzejmy. A wy zdołaliście go zawstydzić.

W tym momencie do naszego stolika podszedł jeden z pastuszków. W ręce trzymał wyświechtany no-

tes. Pastuszek dygnął i dopiero wtedy zauważyliśmy, że to przebrana dziewczyna z doklejonymi wąsami. Nieśmiało zapytała:

– Przepraszam, czy... smoki? Z Wawelu?

– Owszem. Jesteśmy smokami – odpowiedziała Mama.

Pastuszka zaczerwieniła się aż po korzonki włosów w peruce.

– W takim razie... Czy mogłabym prosić o autograf? – Wyciągnęła w naszą stronę notes.

W Pulpeta jakby piorun strzelił. Rozpromienił się, nadął, urósł... Wyprężył grzbiet i szybkim spojrzeniem omiótł salę, jakby chciał się upewnić, czy wszyscy słyszeli. Niemal wyszarpnął dziewczynie notes i zamaszystym pismem długo w nim bazgrał. Wreszcie oddał.

Pośród wielu ozdobnych zawijasów zdołałam odczytać napis:

„Moim wiernym fanom – Pulpet de Fiś, potomek pradawnego rodu smoków".

Mama tylko pokiwała głową z pobłażaniem.

– Skromny, po ojcu – mruknęła.

Wracam ze zbiórki, a tu Pulpet okropnie zdenerwowany. Łatwo po nim poznać, bo jak się denerwuje, to czyta *Słownik wyrazów obcych*. Dla uspokojenia.

– Co jest? – zapytałam grzecznie.

– Oblałem egzamin na hostessę w supermarkecie Pasikonik. – Pulpet zatrzasnął słownik z hukiem. – Podobno nie nadaję się do sprzedaży opłatków wigilijnych. Bo – powiedzieli – kostium aniołka wlecze mi się po ziemi. Też coś! Jakby nie można było skrócić odrobinę agrafkami.

– No wiesz... jest jeszcze kwestia twojej... eee... problematycznej urody. Nie TAK ludzie wyobrażają sobie aniołka – odważyłam się powiedzieć. Ale mój brat najwyraźniej nie słuchał.

– Nie chcą mnie nawet do degustacji czekolady... – tu Pulpet zawahał się – ... bo zeżarłem ukradkiem za dużo.

– Nooo! Toś się sam prosił, bracie. A – tak na marginesie – po co ci ten zarobek? Na ciągutki wystarczy ci tygodniówka. A twoja świnka skarbonka jest ciężka jak granat, od kiedy napełniłeś ją kasą zarobioną w Radiu.

– I tu się mylisz. Na wycieczkę do Transylwanii nie starczy. Sprawdzałem w biurze podróży. Brakuje mi jeszcze

sześciu stów. A biorąc pod uwagę, że ty, siostra, nie poczuwasz się do gromadzenia kasy, to upłyną jeszcze ze dwa lata, zanim wyjedziemy. – Spojrzał na mnie z wyrzutem.

Nie wiem, co myśleć o jego planach podróży w Karpaty. Najwyraźniej zafiksował się na tym pomyśle. A jak go znam, to nie odpuści.

Mama zapisała się na treningi fitness. Na pierwszych zajęciach obecność smoka wywołała sensację. Już po tygodniu obroty klubu podwoiły się – mnóstwo ludzi chciało zobaczyć Mamę na elektrycznej bieżni. A musicie wiedzieć, że nasza Mama jest szybka. Bardzo szybka. W adidasach numer czterdzieści pięć i w czarnym podkoszulku z napisem „Women's Power" wygląda pięknie i zasuwa jak lokomotywa. Bez trudu robi dwadzieścia pompek, co nie udało się dotąd żadnej z pań ćwiczących w jej grupie. Tylko na jogę chodzić nie może. Nie wymyślono dotąd smoczej jogi – nie ma mowy, żeby smok usiadł w kwiecie lotosu. Ogon zawadza przy tych wszystkich asanach, a od pazurków rysują się podłogi.

Mama ma teraz mnóstwo nowych koleżanek. Po treningach umawiają się na plotki. W naszym domu zaroiło się od kobiet w różnym wieku. Tłoczą się w kuchni, parzą herbatkę Figura, wsuwają ciasteczka owsiane i jęczą,

że właśnie pochłonęły więcej kalorii, niż udało im się spalić na bieżni. Z reguły narzekają na mężów i strasznie chichoczą, ilekroć mowa o panu Arnoldzie, napakowanym instruktorze fitnessu. Zupełnie jak dziewczyny z naszej klasy, ilekroć na horyzoncie pojawia się druh Baluba – przystojny drużynowy z naszego hufca.

Pulpet bez skrępowania podsłuchuje rozmowy w kuchni, pod byle pretekstem kręcąc się gościom pod nogami. Daje się nawet głaskać po łebku i cierpliwie znosi uwagi w stylu: „Ooooo! Jaki śliczny chłopczyk! Ile ma latek?”, ale jego uszy pracują jak radary, łowiąc fragmenty rozmów. Dzisiaj wypytywał Tatę, co znaczy „menopauza”, „puszap” i „botoks”. Tata tylko przewrócił oczami.

Po każdej wizycie maminych koleżanek Tata odgraża się, że – dla równowagi – zaprosi swoich kumpli na mecz w telewizji. Razem z ich szalikami kibica, kontenerem piwa i dowcipami o blondynkach.

A potem zmywa stosy filiżanek i zamiata okruchy ciasteczek, mrucząc pod nosem zasłyszaną gdzieś uwagę: „Kobiety i mężczyźni różnią się. Ale kobiety BARDZIEJ”.

Nie do wiary! Doktor Rąbek się żeni! Kto by pomyślał, że ten okularnik i mól książkowy, typowy postrzelony naukowiec, wyjrzy kiedykolwiek ze swojego Pawilonu Gadów i zwróci uwagę na Jagusię – bezogoniastą samiczkę ssaka, na dodatek bez łuski? Mama cieszy się razem z nami, chociaż czasami wydaje się trochę zazdrosna. Przywykliśmy traktować doktora Rąbka jak członka smoczej rodziny, na wyłączność, a tu nagle – trach! – konkurencja.

Mam nadzieję, że Jagusia zadba o to, żeby narzeczony wyrzucił wreszcie ten ohydny sweterek z Kaczorem Donaldem. I żółte półbuty w dziurki. Zasadniczo modę mam w nosie, ale doktor Rąbek jest ciężkim przypadkiem Dramatycznego Braku Gustu. Aż strach pomyśleć, w czym pójdzie do ślubu. O ile wiem, ma do wyboru tylko dwie marynarki. W liliową kratę i lamparcie cętki. W obu wygląda jak Koko & Friko.

Ja i Pulpet będziemy nieśli dłuuuugi welon panny młodej. W zasadzie o welonie początkowo nie było mowy, ale Pulpet tak bardzo chciał wystąpić w roli pierwszego drużby, że Jagusia uległa namowom. Mój brat lubi być w centrum zainteresowania. Podejrzewam, że tym razem chodzi mu o jedwabną muchę, którą sobie na tę okazję uszył. Mucha ma kształt... eeee... MUCHY. No wiecie, takiej, co bzyczy. Odwłok obszył futerkiem, kosmate nóżki zrobił z drutu, a oczka z perłowych guziczków.

Od tygodnia Pulpet pisze w sekrecie poemat dla nowożeńców. Mama eksperymentuje w kuchni z weselnym tortem, a ja – z pomocą Taty – spawam z blachy stojak na parasole, który będzie naszym prezentem ślubnym.

Nigdy się nie ożenię! – przysięga Pulpet wyczerpany przygotowaniami do ślubu doktora Rąbka.

Tydzień upłynął nam na różnych dobrych uczynkach. Pomogliśmy Jagusi układać weselne menu. Zaadresowaliśmy przeszło setkę zaproszeń. Udekorowaliśmy salę (szlaczek w smocze łapki nad orkiestrą, przy każdym nakryciu serwetka z motywem salamandry). Prasowaliśmy obrusy. Czyściliśmy rodowe srebra Rąbków.

Wreszcie przyszła pora na starą skodę doktora. Po trzykrotnym myciu odzyskała oryginalny, ciemnozielony – jak się okazało – kolor. Przy okazji wyrzuciliśmy z bagażnika:

opakowania po karmie dla jaszczurek, tajemniczy złom, przydeptane buty nie do pary, zaschnięte ogryzki, mysie bobki, stare gazety, kanapki nadgryzione dawno, dawno temu...

Gabrysia, która nam pomagała, patrzyła w osłupieniu na stertę śmieci wygarniętych z samochodu.

– Niezły chomik z tego Kazia. Nic się nie marnuje! – stwierdziła, podnosząc w dwóch palcach coś, co wyglądało na zmumifikowany serdelek.

– Ten samochód to bomba biologiczna – zgodził się Pulpet – Patrzcie... Jogurt przeterminowany... od dwóch lat.

W samą porę zajęliśmy się tymi porządkami. Miłość jest ślepa, ale przecież nie aż tak, żeby Jagusia nie dostrzegła zeszłorocznej choinki (bez igieł) na tylnym siedzeniu auta.

Raz w tygodniu, w czwartki, zostajemy po lekcjach w świetlicy szkolnej. Gabrysia zostaje z nami. Nie dlatego, że musi, ale dla towarzystwa. We czwartki wszystkie maluchy z zerówki i młodszych klas gromadzą się wokół nas i żądają bajek. A wtedy panie świetliczanki – bardzo zadowolone – idą na zaplecze parzyć kawkę i plotkować.

Pulpet na poczekaniu wymyśla niestworzone historie. Jego bajki to horrory z wampirami i zombie albo kryminały szpiegowskie. Zaczynają się niewinnie – dajmy na to: Pulpet sięga na półkę po jakiegoś pluszaka i plecie dyrdymały o grzecznym Misiu, który zawsze odrabiał lekcje, wynosił śmiecie i pastował buciki. Ale oto w sąsiedztwie zamieszkał zły Królik (Pulpet sięga po plastikowego Bugsa) – pijak i przemytnik. Wredny Królik podstępem wdziera się do domu Misia. Plądruje dom, nie zważając na protesty lalek Barbie (Pulpet inscenizuje szarpaninę z lalkami). Kryminalista oblewa rosołem Prosiaczka i pożera cały zapas fasolki szparagowej. Czarną pastą do butów smaruje nowiutkie białe najki Misia i zostawia na stole szyderczy list, w którym roi się od błędów ortograficznych. Ucieka bezkarny, zanim nadjedzie misiowa policja. I tak dalej i dalej...

Im głupsze historie opowiada mój brat, tym bardziej zachwycone są maluchy. Układają z Pulpetem list z pogróżkami (nieortograficzny, rzecz jasna), a ja i Gabrysia lepimy z plasteliny malutkie rewolwerki i czarne walizki pełne skradzionej waluty. Na końcu dobro z reguły zwycięża i szajka złoczyńców (Królik Bugs, Lord Vader, Krakowianka) ląduje w pudle – każde z parą plastelinowych kajdanek na łapkach.

– Bang! Bang! Rączki do góry, Kangurzyco! – wrzeszczą maluchy, a panie świetliczanki wystawiają głowy z pakamery zaniepokojone.

Nic dziwnego, że Pulpet na przerwach nie może opędzić się od dzieciaków z zerówki, które chcą przybijać piątkę i zawisają mu na łokciach.

– Kurza noga, czy ja wyglądam na Supernianię? – złości się Pulpet i straszy maluchy najgorszą ze swoich min.

Pulpet coraz więcej czasu spędza w Internecie w poszukiwaniu informacji o smoczych przodkach. Niekiedy przysiada się do niego Mama i pomaga tłumaczyć artykuły w obcych językach. Najczęściej są to bujdy na resorach, ale bywają też, całkiem do rzeczy,

wzmianki o rzadkich gadach odkrytych w Rumunii. Pulpet wymienia listy z profesorem zoologii Uniwersytetu w Sighişoarze.

Ciekawe czy profesor wie, że jego rozmówcą jest SMOK, na dodatek uczeń klasy trzeciej Ce?

Spaliśmy do południa. Na co dzień takie lenistwo byłoby nie do pomyślenia, ale dziś odsypiamy wesele Rąbków.

Tata nadal leży jak kłoda – do rana tańczył sambę z babcią Fiś. Oboje dostali tekturowy medal od wodzireja za brawurowe wykonanie habanery z różą w zębach. Z „RYŻEM w zębach" – upierał się Tata. Różę miała Babcia. Pompon miał w zębach ryż. Preparowany.

Na śniadanie dojadaliśmy resztki z weselnego przyjęcia. Mama starannie wydłubywała konfetti z sałatki jarzynowej, ale Pulpet darował sobie te ceregiele i wsunął nawet papierową serpentynę umazaną majonezem.

Muszę przyznać, że jako para drużbów podtrzymujących welon ślubny, spisaliśmy się na medal. Tym razem nie było żadnych efektownych upadków. Kroczyliśmy dostojnie za panną młodą w rytm marsza weselnego. Pulpet wykuł na pamięć cały tekst przysięgi małżeńskiej, na wypadek, gdyby któreś z nowożeńców zapomniało. Stojąc za plecami Jagusi, recytował półgłosem: ... ślubuję ci miłość, wierność i uczciwość małżeńską... – jakby to ON brał doktora Rąbka za męża. A podczas składania życzeń, zamiast zająć się kwiatami, co chwila przeglądał się w swoich nowych, kupionych na tę okazję lakierkach. Malwina kupiła je w Smyku. To komunijne buty na ośmiolatka – pierwsze, jakie spodobały się mojemu bratu.

– Czy nie wyglądam zabójczo? – dopytywał co chwila i domagał się zdjęć z młodą parą.

Po północy Pulpet obdarował kuzynkę panny młodej – Erykę – swoją jedwabną muchą, wykonaną własnoręcznie.

Kuzynka jest napastniczką drużyny koszykarskiej juniorek, ale Pulpet wydawał się nie dostrzegać różnicy wzrostu. Wskakiwał na stół i rozmawiał z Eryką, kucając pośród nóżek w galarecie i koreczków śledziowych. Najwyraźniej odkochał się w Zuzi Traczyk i zmienił obiekt zainteresowania. Kiepski z niego zalotnik – wypił za dużo szampana bezalkoholowego Piccolo i bezustannie bekał.

Dalsza rodzina panny młodej nieufnie przyglądała się czterem smokom w gronie gości weselnych. Myśleli chyba, że jesteśmy kelnerami w dziwacznych kostiumach, bo ciągle upominali się u nas o wino i kanapki.

Naszym sekretnym zadaniem było utrzymać Jagusinego wujka z Bydgoszczy z dala od baru. Cała rodzina wie o jego słabości do napojów wyskokowych, toteż Mama poiła go kompotem z rabarbaru i zabawiała rozmową, nie dając wyjść zza stołu. Na wszelki wypadek – niby to przypadkiem – przysiadła połę jego marynarki. A że wuj czuł respekt przed smokami (bardzo słusznie!), to nie odważył się protestować. Patrzył biedak smętnie na odległy, dobrze zaopatrzony bufet. Dopiero kiedy Mama wyszła do toalety, wujek zanurkował pod stołem. Wynurzył się tuż za plecami barmana. Ale tam już na niego czekała wujenka. Z bardzo groźną miną!

Jak sądzicie – na czym polegała największa niespodzianka wesela?

Nie, nie na tym, że wuj z Bydgoszczy nie zdołał narobić obciachu całej rodzinie, jak to miał w zwyczaju.

I nie na tym, że tort weselny zapadł się do środka, grzebiąc pod lawiną kremu plastikowe figurki młodej pary.

Największą niespodzianką była SENSACYJNA nowina!

Otóż świeżo poślubieni państwo Rąbkowie ogłosili podczas wesela, że nie pojadą do Ustki, gdzie mieli

spędzić miodowy miesiąc. Zmienili plany. Wybierają się w podróż poślubną do...Transylwanii!

Doktor Rąbek zamierza odwiedzić Uniwersytet w Sighişoarze i sprawdzić pogłoski o rzadkim gatunku gadów, odkrytym przez profesora Ciurlescu i tamtejszych uczonych.

Spojrzałam na Pulpeta. Miał bardzo dziwną minę – widać było, że pęka z dumy. Najwyraźniej maczał palce w tej nagłej zmianie planów. Równocześnie udawał głupiego (co w wypadku mojego brata nie jest takie trudne).

Huknęłam go pod żebro i wciągnęłam za bufet.

– MÓW, padalcu! Mów całą prawdę!

– Och! Nie ma o czym gadać... – z fałszywą skromnością wykrztusił Pulpet. – Po prostu podesłałem jeden link doktorowi na desktop. BARDZO INTERESUJĄCY link – powtórzył z naciskiem. Niewielkie oczka mojego brata zalśniły w półmroku. – A co najważniejsze – Rąbkowie potrzebują pomocy. Naszej pomocy. Jednym słowem – JEDZIEMY Z NIMI!!!

Minęło trochę czasu, zanim moja opadła ze zdumienia szczęka wróciła na swoje miejsce. Jedziemy do Tran-syl-wa-nii!

Rąbkowie potwierdzili wersję Pulpeta – chętnie zabiorą nas ze sobą. Pozostał problem rodziców. Jak ich przekonać, że podróż poślubna młodej pary nie może się obyć bez nas?

Początkowo Mama sądziła, że to żart.

– Doktor Rąbek jest dziwakiem, ale przecież nie aż takim, żeby fundować swojej świeżo poślubionej żonie towarzystwo dwóch nieletnich smoków – powiedziała.

– A czemu nie? – obruszył się Pulpet. – My pierwszorzędnie potrafimy rozbić namiot, nazbierać chrust na ognisko... No i żaden komar nie odważy się do nas zbliżyć. Wiecie, jaki jestem szybki w usuwaniu komarów.

– Usuwaniu? A więc to tak się nazywa? – dorzuciłam z przekąsem. Mój brat, chociaż wegetarianin, to przecież z jakiegoś tajemniczego powodu uważał, że komary nie są daniem mięsnym. Połykał je z upodobaniem.

– A poza tym – ciągnął Pulpet – gdyby doktorowi – dajmy na to – przyszło zmieniać oponę na szosie. Powiedzmy... w deszczu. Powiedzmy... na pustkowiu. Nasza pomoc mogłaby się okazać nieoceniona!

Tata patrzył na Pulpeta z niedowierzaniem. Ilekroć jeździliśmy na rodzinne pikniki, mój brat migał się od roboty. Pod pretekstem zbierania szyszek na ognisko porywał koszyk i znikał w lesie. Po godzinie znajdowaliśmy go w krzakach. Drzemał obok pustego koszyka, nie dbając nawet o pozory. A teraz – proszę! Przemiana gnuśnego Pulpeta w dzielnego MacGyvera.

– Jejciu, musimy zaopatrzyć się w czosnek i znaleźć osikę! – palnął się w głowę Pulpet.

– Po co ci osika? – zdziwiła się Mama.

– Jak to po co? Transylwania jest ojczyzną wampirów! A wampira można unicestwić, jedynie przebijając go OSIKOWYM kołkiem. Czosnek natomiast chroni przed urokiem – oznajmił Pulpet i wdrapał się na regał po encyklopedię, żeby ustalić, jak wygląda osika.

– Złaź mi zaraz na dół! – zirytowała się Mama. – Brednie i zabobony!

– Naczytał się biedak Stephenie Meyer – mruknął Tata.

– Wyluzuj, Pulpecie – powiedziałam. – Żaden wampir, nawet najbardziej zdesperowany, nie da rady ukąsić cię w szyję. Łuska cię chroni, ośla łąko. Dracula musiałby użyć śrubokręta. Albo wiertarki.

– Fakt! – zgodził się Pulpet i – nie czekając na decyzję rodziców – pobiegł pakować plecak.

Po kolejnej naradzie z Rąbkami rodzice pękli i wyrazili zgodę. Świnka skarbonka Pulpeta została rozbita i brat wspaniałomyślnie wrzucił uzbieraną kasę do wspólnej puli. Mój udział okazał się skromny – dwadzieścia cztery złote. Na szczęście rodzice (nie bez stękania) sypnęli groszem.

Następny dzień upłynął nam na szykowaniu ekwipunku. Dwunastoletnia skoda Rąbków nie budzi zaufania, więc spakowaliśmy się do dwóch niewielkich plecaków. Pulpet dorzucił w ostatniej chwili wianek czosnku i pudełko kredy (wiecie, kredowe koło... ble ble ble...) – najwyraźniej Mama nie zdołała podważyć jego wiary w zabobony.

Rąbkowie podjechali pod Wawel punktualnie. Umościliśmy się na tylnym siedzeniu, pomachaliśmy rodzicom i – ahoj, przygodo! – samochód ruszył ku granicy.

W trzech skokach planowaliśmy dotrzeć do Rumunii. Doktor Rąbek prowadził ostrożnie, z wyjątkiem tych momentów, kiedy odrywał oczy od szosy, żeby gapić się cielęcym wzrokiem na Jagusię. Ale wtedy Pulpet zaczynał wiercić się i gwizdać na tylnym siedzeniu i uwaga kierowcy zostawała przywrócona.

W razie głębszego zauroczenia niezwłocznie sięgałam po organki i grałam *Marsza Radeckiego*. A ponieważ gram kiepsko i fałszywie – doktor Rąbek natychmiast trzeźwiał z miłosnej gorączki i skupiał się za kierownicą. Doprawdy nie wiem, jak oni by sobie bez nas poradzili!

Na pierwszym biwaku doktor Rąbek kazał sobie mówić po imieniu:

– Do diabła z etykietą – powiedział. – Przecież zanim się obejrzymy, będziecie dorośli. Mówcie mi „Kazio".

Po czym wycałował nas w policzki i wypiliśmy bruderszaft barszczykiem czerwonym Krakus.

Jagusia okazała się świetną turystką. Nie jest co prawda specjalnie rozmowna, ale za to dobrze pilotuje, w mgnieniu oka zwija namioty, smaży pyszne placki i nie suszy nam głowy o codzienne mycie.

Wieczorami rozpalamy ognisko i śpiewamy harcerskie piosenki, podczas gdy Pulpet kłapie szczęką i ugania się za komarami.

Jak było do przewidzenia, na granicy pojawiły się kłopoty. Czy to w Polsce, czy na Słowacji – pogranicznicy nieczęsto widują smoki.

– Proszę wysiąść i ręce na maskę! – krzyczy wopista, ledwie dostrzegł nas na tylnym siedzeniu samochodu.

Rąbkowie wychodzą posłusznie, a my tarabanimy się za nimi, na co pan Bardzo-Groźny-Pogranicznik głupieje.

– Stop! Niech pan powstrzyma te zwierzęta! – piszczy histerycznie.

Doktor Rąbek tłumaczy zawile, że jesteśmy **dość szczególnymi** zwierzętami, ale Pulpet już wyskakuje z auta i wchodzi mu w słowo:

– Ładne wąsy – mówi, zadzierając łebek i wskazując mizerne, mysie wąsiki na twarzy wopisty.

– Podobno sok z rzepy wzmacnia zarost – podpowiadam.

Dłoń pogranicznika, która jeszcze przed chwilą sięgała do kabury z bronią służbową, zamiera w pół drogi. W samą porę, bo po minie Pulpeta widzę, że nie dałby się podziurkować bez walki.

– Tak, to smoki. Nie, nie są groźne. Owszem, mówią i rozumieją każde słowo – recytuje doktor Rąbek jednym tchem.

– Hę? – dziwi się wopista.

– Pozwoliłem sobie uprzedzić pytania, które zwykle zadają mi ludzie nieoswojeni z widokiem moich przyjaciół.

– Pan pozwoli do biura – mówi pogranicznik i cofa się rakiem, nie spuszczając z nas oka. Doktor podąża za nim.

Widzimy przez szybę, jak obaj gwałtownie gestykulują. Wopista sprawdza zdjęcia w paszportach i raz po raz gapi się na nas przez okno z niedowierzaniem. Biedak!

Już-już liczył w głowie premię za udaremnienie przemytu dwóch egzotycznych gadów, a tu – figa!

Pulpet macha mu przyjacielsko łapką, po czym zabiera się do serii pompek, dla rozprostowania kości. Wywija salto, kilka piruetów i wreszcie układa się na masce skody w malowniczej pozie.

– Nudziarz – mruczy pod nosem, kiedy rozmowa w biurze się przeciąga.

Na szczęście sterta papierów i zaświadczeń z wieloma pieczątkami, które okazuje doktor Rąbek, czyni cuda – po chwili szlaban unosi się i możemy jechać.

Na odjezdnym pogranicznik prosi o wspólne zdjęcie. Dla dzieci.

Przykładnie szczerzymy zęby w uśmiechu, ale w ostatniej chwili, kiedy doktor Rąbek naciska spust migawki – Pulpet niepostrzeżenie robi wopiście „zajączka" nad głową. A kuku!

Wczoraj wjechaliśmy do Rumunii. Piękny kraj. Zamierzaliśmy rozbić biwak za dnia, ale niełatwo znaleźć tu kemping. Chcąc niechcąc, jechaliśmy dalej i dalej, i dalej... Zaczęło się ściemniać. Płaski teren przeszedł w górzysty, szosa zwęziła się. Na domiar złego z każdym przejechanym kilometrem skoda doktora coraz bardziej słabła, stękała i chrobotała. Wreszcie coś huknęło w podwoziu i prawy resor zapadł się tak, że prawie szorowaliśmy podwoziem po jezdni. Samochód turlał się jeszcze kilometr na jedynce, a kiedy wjechaliśmy w opłotki jakiejś wsi – doktor Rąbek zaparkował na poboczu.

– Dalej nie pojedziemy. Trzeba znaleźć mechanika.

Jagusia zerknęła na zegarek.

– Dochodzi północ. We wszystkich domach ciemno.

– Gdzie jesteśmy? – zapytałam.

Jagusia zerknęła na mapę.

– Przed półgodziną wjechaliśmy do... Transylwanii – szepnęła i rzuciła szybkie spojrzenie mężowi.

W samochodzie zapadło milczenie. Pierwszy przerwał ciszę doktor Rąbek.

– Możemy przenocować w sadzie obok tej chałupki. – Wskazał ciemną sylwetę domu za płotem. – Ale przedtem trzeba uzyskać zgodę gospodarzy, zanim wezmą nas za złodziei i wezwą policję.

Po chwili doktor Rąbek łomotał w masywne, dębowe drzwi.

Przez długą chwilę nic się nie działo. W oddali szczekał pies.

Kiedy już straciliśmy nadzieję, że ktokolwiek nas słyszy, w małym okienku zapaliło się nikłe światło. Jęknęły nienaoliwione zawiasy i drzwi uchyliły się odrobinę. W wąskiej szczelinie ukazała się skołtuniona kobieca głowa i dłoń trzymająca świeczkę. Babcia najwyraźniej poderwana została z pościeli, bo na zmiętą nocną koszulę narzuciła krótki półkożuszek. Baba-Jaga – pomyślałam.

Doktor Rąbek, żywo gestykulując, próbował w trzech językach wyjaśnić naszą sytuację i uzyskać zgodę na nocleg w sadzie. Babcia najwyraźniej nie rozumiała ani słowa. Słuchała doktora z kamienną twarzą.

Ale oto, po chwili, dostrzegła mnie i Pulpeta, schowanych za plecami Rąbków. Ku naszemu zdziwieniu nie robiła wrażenia zaskoczonej. Przeciwnie – rozpromieniła się, pokazując w uśmiechu jeden samotny ząb. Pochyliła się nad nami i – ignorując Rąbków – długo przemawiała do nas po rumuńsku. Po chwili zniknęła w głębi domu i powróciła z miseczką mleka, którą wręczyła Pulpetowi.

Chwilę później skinęła przyjaźnie rozczochraną głową i zatrzasnęła drzwi. Usłyszeliśmy chrobot klucza w zamku.

Staliśmy na progu z niemądrymi minami. Pulpet gapił się w osłupieniu na miseczkę mleka. Po raz pierwszy zdarzyło się, że widok dwóch smoków nie wzbudził zdumienia ani paniki. Jakbyśmy byli parą bezpańskich kotów czy świstaków, z którymi oswojeni są mieszkańcy Transylwanii.

A kiedy tak staliśmy w milczeniu – zegarek doktora krótkim sygnałem oznajmił, że minęła PÓŁNOC! Dreszcz przebiegł mi po plecach.

Nie było rady. Zdecydowaliśmy rozbić namioty w sadzie rumuńskiej Baby-Jagi.

Długo nie mogłam zasnąć. Pulpet już dawno chrapał smacznie obok mnie, z figurką Lorda Vadera w łapce, podczas gdy ja wierciłam się w śpiworze. Kiedy wreszcie sen mnie zmorzył, miałam koszmary.

Ocknęłam się w środku nocy. Było ciemno. Tylko słaba poświata księżyca oświetlała płótno namiotu. Leżałam na boku, na wpół rozbudzona, i nadsłuchiwałam. Gdzieś daleko szczekały psy, puchacz polował na myszy w pobliżu. Niekiedy z głuchym pacnięciem spadało jabłko w sadzie.

Nagle przez krótką chwilę światło księżyca wzmogło się, jakby chmury odpłynęły. I w czasie tych kilku sekund zobaczyłam na płótnie namiotu CIEŃ. Zarys głowy z profilu. Nie był to cień ludzki. To był cień... smoczy. Mała głowa z kościanym grzebieniem, długi ryjek, oklapłe ucho – sylwetka tak znajoma, że w pierwszym odruchu upewniłam się, czy to nie Pulpet wyszedł na siusiu. Ale nie – szturchnęłam śpiwór – mój brat posapywał cichutko obok.

Po kolejnej chwili chmury zasłoniły księżyc i zapadły egipskie ciemności. A pięć minut później mogłabym przysiąc, że cień smoczej głowy po prostu mi się przyśnił.

Nazajutrz obudziliśmy się późno.

Czym prędzej pobiegłam do auta i wczołgałam się pod skodę zaparkowaną koślawo na poboczu drogi.

No tak! Pękła śruba mocująca resor. Nie mamy zapasowej, trzeba szukać warsztatu.

Po śniadaniu Kazio i Jagusia wyruszyli na poszukiwanie mechanika, a my bez pośpiechu zwijaliśmy obóz. Chatka Baby-Jagi wydawała się pusta. Nikt nie kręcił się po podwórku, żadne odgłosy nie dobiegały ze środka. Umyliśmy pod studnią miseczkę po mleku i zostawiliśmy ją na progu.

Poszukiwania warsztatu samochodowego nie powiodły się. Na szczęście są na świecie KUŹNIE. Dobrą godzinę trwało, zanim wiejski kowal wyłowił odpowiednią śrubę z wiadra pełnego pordzewiałego żelastwa i zamontował ją w naszej skodzie. Chwilę później byliśmy już w drodze do Sighișoary.

Profesor Ciurlescu przywitał nas z otwartymi ramionami. Znał prace naukowe doktora Rąbka i oczekiwał nas niecierpliwie. Uprzedzony zawczasu o naszej podróży, był przygotowany na wizytę dwóch smoków z Polski. Ale dopiero od Pulpeta dowiedział się, że to z NIM wymieniał maile od pół roku, hi, hi! Przyglądał nam się z niedowierzaniem, szacował wzrost i wagę –

widać było, że najchętniej zabrałby nas do laboratorium i poddał kilku naukowym testom.

Jak się okazało, żona profesora – Helena – pochodzi z Wrocławia, toteż znał język polski całkiem nieźle.

– *Dragonus varanus cracoviensis* – mruczał pod nosem. – Nie może być... nie może być. Szmaragdowa łuska, jaśniejsze podgardle, sierpowate pazurki, nieparzysta liczba płyt rogowych... wszystko się zgadza.

Pulpet, trochę zirytowany tymi oględzinami, pochylił się w stronę profesora i przyglądając mu się natarczywie, wyrecytował:

– *Homo sapiens*, ssak żyworodny, łożyskowy, podtyp: kręgowiec, samiec, osobnik dojrzały do rozrodu, przypuszczalnie mięsożerny.

Profesor zawstydził się.

– Wybaczcie, zagalopowałem się. Mam hopla na punkcie gadów. Od kiedy – a miałem wtedy pięć lat – dostałem od ojca salamandrę w terrarium.

Po czym zaprosił nas na obiad.

Pyszne potrawy stygły, herbata stała nietknięta, a Kazio i profesor gadali jak najęci. Rozmowa przy stole zeszła natychmiast na naukową rewelację – nieznany gatunek zwierząt, odkryty przez profesora w rumuńskich górach.

– W Rumunii od wieków opowiadało się dzieciom baśnie o niewielkich smokach, które trzymają się z dala od siedzib ludzkich – mówił profesor. – W starych książkach można znaleźć ich wizerunki, które jednak bardzo różnią się od siebie. Na jednych – uskrzydlone, na innych – dwugłowe... Jednym słowem – bujdy. – Profesor machnął ręką lekceważąco. – Dotychczas nie istniały żadne wiarygodne ślady obecności takich gadów w Karpatach. Ale oto, w ubiegłym roku, para turystów dostarczyła nam... TO. – Ciurlescu wyjął z szuflady odbitkę kolorowego zdjęcia, na którym widniał odciśnięty w wilgotnej glinie ślad niewielkiej łapki.

Wszyscy kolejno obejrzeli zdjęcie, po czym Pulpet, trzymając odbitkę w prawej ręce, odwrócił swoją lewą łapkę wnętrzem do góry i porównał:

– Czteropalczasta, w kształcie liścia klonu, mniejsza od naszych. Długie pazurki, środkowy prawdopodobnie złamany. Hmmm... In-te-re-su-ją-ce.

– Nie koniec na tym – kontynuował profesor. – W gazetach zaczęły pojawiać się relacje naocznych świadków, którzy jakoby widzieli, wysoko w lesie, przemykające niewielkie stworzenia. Ale te gazety to plotkarskie brukowce. A jedyne opublikowane zdjęcie jest marnej jakości. Trudno na nim dopatrzyć się nieznanego zwierzęcia, choć – przyznaję – fotografia daje do myślenia.

Tu profesor wyjął kolejną odbitkę.

Widać na niej było strome zbocze porośnięte gęstymi paprociami i jaskrawozielonym mchem. W jednym miejscu krzaki były rozhuśtane, w ruchu, a z gęstwiny wyzierało coś jakby... OGON. Brunatny, opatrzony zębatymi wyrostkami.

Wizerunek był tak nieostry, że równie dobrze domniemany ogon mógł uchodzić za porośniętą mchem kłodę albo uschniętą gałąź.

Gapiliśmy się na fotografię w milczeniu, a wreszcie Jagusia zapytała:

– W jakim rejonie zrobiono to zdjęcie?

Profesor bez słowa otworzył w swoim laptopie „google maps" i po chwili pokazał nam satelitarne zdjęcie górzystego rejonu, zaledwie osiemdziesiąt kilometrów od Sighişoary.

– Hej!! Przejeżdżaliśmy wczoraj tamtędy – zdziwił się Kazio pochylony nad mapą.

– Przepytaliśmy leśniczych i mieszkańców okolicznych wiosek – ciągnął profesor. – Nikt nic nie wie, nikt nie słyszał o dziwnych stworzeniach w tym rejonie. Ale, szczerze mówiąc, odniosłem wrażenie, że to zmowa. Zmowa milczenia. Z jakiegoś powodu nie chcą mówić prawdy.

– Dlaczego pan tak sądzi? – zapytałam.

– Przeprowadziłem własne poszukiwania. I znalazłem kilka zastanawiających drobiazgów. – Wyjął z biurka duże pudełko, zdjął pokrywkę i naszym oczom ukazała się...

– Wylinka! – krzyknął Pulpet. – Smocza wylinka! Ja cię kręcę!

Rzeczywiście – na dnie pudełka leżała nie jedna, ale dwie wylinki – nieduże, półprzezroczyste jak foliowa reklamówka, z delikatnym ornamentem łuski.

– Jejciu! – sapnął z emocji doktor Rąbek. – To jest dowód nie do podważenia.

– Zrobiłem wszystkie możliwe badania: mikroskopowe, genetyczne, porównawcze – bez cienia wątpliwości jest to nieopisany dotąd gatunek gada.

– Ależ on jest podobny... do NAS! Poznaję po tym używanym, przezroczystym garniturku – krzyknął Pulpet, trzymając wylinkę w dwóch palcach.

– Też mi to przyszło do głowy – powiedział profesor z chytrym uśmieszkiem.

Gadaliśmy do późnej nocy. Opychając się melonami, obmyślaliśmy sposoby, jak dotrzeć do tajemniczych rumuńskich kuzynów.

Pomysł profesora polegał na tym, żeby naszej wizycie w Rumunii nadać jak największy rozgłos. Koniec z przemykaniem się pod ścianami – udzielamy wywiadów i pozwalamy sobie robić zdjęcia, tak aby informacja o smokach dotarła do każdej, choćby najmniejszej dziury. To być może sprowokuje ludzi do mówienia.

– Damy radę – zgodził się niechętnie Pulpet. – Popularnością prześcigniemy nawet cielę o dwóch głowach i psa, który potrafi zagrać kolędę na organkach – dorzucił zgryźliwie.

Drugi punkt strategii był pomysłem Jagusi. Skoro profesor podejrzewa, że jego rozmówcy kłamią – można upewnić się co do prawdomówności choćby jednej osoby – naszej Baby-Jagi. Mieszka w rejonie, gdzie, jakoby, pojawiały się dziwne stworzenia. Ponadto wiemy z całą pewnością, że widziała co najmniej dwa smoki. To znaczy – NAS. Nie dalej jak wczoraj w nocy. Jeśli, zapytana przez profesora, będzie zaprzeczać, to – oczywiście – ściemnia rozmyślnie.

A wtedy można zadać kolejne pytanie: Czemu to ściemniacie, babciu?

Jak uradziliśmy – tak też zrobiliśmy.

Nazajutrz profesor zwołał konferencję prasową. W zaproszeniu wspomniał o smokach.

Skutek był piorunujący – mała salka konferencyjna na uniwersytecie nie pomieściła wszystkich dziennikarzy. Część z nich stała na korytarzu. Operatorzy dwóch konkurujących ze sobą stacji telewizyjnych pobili się o miejsce i trzeba było ich siłą rozdzielać.

Bite trzy godziny odpowiadaliśmy na pytania i do wieczora pracowaliśmy jak niewolnicy, pozując do nieskończonej liczby zdjęć. W lunaparku, na stadionie, z kukłą Draculi w objęciach...

– Mam zamiar przyznać „Order Kapuścianej Głowy" za najbardziej niedorzeczne pytanie – szepnął Pulpet po konferencji. – Ale nie mogę się zdecydować, kogo nagrodzić.

– Jak to kogo? – zdziwiłam się. – No przecież, że tego gościa, który zapytał, czy polska reprezentacja wejdzie do finału światowych mistrzostw w piłce nożnej.

– Eeeee... Mój faworyt to raczej facet, który zapytał, czy jesteśmy zasilani z baterii czy z akumulatora.

Przy kolacji profesor ogłosił, że pora odwiedzić naszą Babę-Jagę.

Tym razem nie ryzykowaliśmy podróży skodą, tylko z samego rana upchnęliśmy się do profesorskiej toyoty.

Do bagażnika wrzuciliśmy sprzęt biwakowy, na wypadek, gdyby przyszło nam pozostać dłużej w lasach Transylwanii.

W podróży Pulpet raz po raz wychylał się przez okno, zadkiem wypięty w naszą stronę, i ryczał ułożoną naprędce piosenkę:

Cztery smoki/
wesołe smoki/
zielone łapki/
grube odwłoki/
kłapciate uszy/
długie ogonki/
brzuszki w kolorze limonki.

– Sam masz gruby odwłok! Mnie do tego nie mieszaj – warknęłam w stronę Pulpetowego zadka.

– Co ty tam wiesz o poezji. – Pulpet wzruszył ramionami i opadł na fotel obok mnie.

Kiedy dojechaliśmy, profesor Ciurlescu zaparkował samochód w środku wsi, koło remizy strażackiej. Do chatki Baby-Jagi pozostał jeszcze kilometr, ale ustalono, że profesor pokona go na piechotę. Chodziło o to, żeby nie widziano nas razem. Profesor zabrał mały, turystyczny plecaczek i oddalił się szybkim krokiem.

Naszym zadaniem było paradować główną ulicą wioski i obserwować reakcję tubylców. Ja i Pulpet szliśmy przodem, kilka kroków za nami maszerowali Kazio i Jagusia uzbrojeni w notesy i dobrze zatemperowane ołówki.

Nie od dziś jesteśmy smokami. Przywykliśmy do tego, że nasz widok wzbudza sensację. Co więcej – nauczyliśmy się odróżniać różne rodzaje zdumienia. Najbardziej widowiskowy jest SZOK.

Ktoś, kto widzi smoka, choć w smoki nie wierzy, z reguły nieruchomieje, wytrzeszcza oczy, po czym szczypie się w ramię, żeby upewnić się, że to nie omamy. Takim zszokowanym przechodniom z reguły machamy łapką i posyłamy rozbrajające uśmiechy.

Druga kategoria zdziwionych to ci, którzy – owszem – słyszeli o naszym istnieniu, ale widzą smoka po raz pierwszy. Gapią się natrętnie, ale nie wpadają w panikę. Są ciekawscy, ale przychylni.

Wreszcie trzeci rodzaj przechodniów – oswojeni i przyjacielscy. Takich najczęściej spotykamy w Krakowie, gdzie jesteśmy dobrze znani.

Tymczasem na głównej ulicy rumuńskiej wioski panował senny spokój – rzadko mijaliśmy kogokolwiek. Od razu nas zastanowiło, że nikt nie okazuje zdumienia na nasz widok.

– Ja cię kręcę – mruknął Pulpet – nikt się nas nie boi. Nikt się nam nie dziwi. Spójrz na tę kobitkę – rzuciła siatki i złapała się za guzik. Czy ja jestem kominiarzem, kurza stopa?

Dzieci bez lęku podbiegały i zagadywały do nas po rumuńsku, a nawet wciskały nam do łapek swoje dziecinne skarby – kamyk, czerwoną wstążkę z warkocza, błyszczący kapselek od oranżady... Dorośli natomiast uchylali kapelusza albo przyjaźnie kiwali głowami. Niektórzy dyskretnie chwytali za guzik. Co tu się dzieje?!

– Prasa? Telewizja? – zapytałam.

– A skąd! Reportaż ma być emitowany dopiero wieczorem. Zdjęcia w jutrzejszych gazetach.

Doktor Kazio i Jagusia pracowicie skrobali w notesach, zaintrygowani nie mniej od nas tym niecodziennym zachowaniem Transylwańczyków. Pulpet niecierpliwił się w oczekiwaniu na powrót profesora. Bardzo chciał wiedzieć, o co właściwie chodziło z tą miseczką mleka.

Komórka doktora Rąbka odezwała się charakterystyczną melodyjką z serialu *Czterej pancerni i pies*. Dzwonił profesor.

– Sprawy się komplikują – powiedział. – Szukajcie miejsca na biwak. Przenocujemy w pobliżu wsi.

Zdążyliśmy rozbić namioty pod lasem i ugotować krupnik, a nawet nazbierać pełen beret poziomek, zanim wrócił profesor.

Był zziajany i podekscytowany – najwyraźniej ekspedycja się udała. Pozwoliliśmy mu się wysapać i najeść, a potem Pulpet opisał dokładnie zastanawiające przyjęcie w wiosce.

– Oni się nas nie boją. Przyglądają nam się nie bardziej, niż gapiliby się na sąsiada, który wyszedł na ulicę w piżamie. Ot, ciekawostka...

– Coś tu nie gra – przytaknęłam bratu.

– Macie rację. Cała wieś wie o istnieniu smoków. Nie od dziś – potwierdził profesor. – Nasza Baba-Jaga opowiedziała to i owo. Swoją drogą... to poczciwości kobieta.

Kazio pokręcił głową z powątpiewaniem, ale profesor mówił dalej:

– Nie mogliśmy znaleźć lepszego miejsca dla naszych poszukiwań. „Balaur" – tak tutejsi mieszkańcy nazywają nieduże stworzenia, mieszkające w górach. Smoki widywane są rzadko – nie mają żadnego powodu, żeby szukać kontaktu z ludźmi. W okolicznych wioskach istnieje głębokie przekonanie, że plotkowanie o smokach ściąga na plotkarza nieszczęście. Jeśli jakikolwiek „balaur" ucierpi z winy człowieka – zemsta dosięgnie sprawcę nieuchronnie. I przeciwnie – drobne upominki ofiarowane smokom zapewniać mają pomyślność. Stąd ta miseczka mleka wręczona Pulpetowi.

– I inne skarby, jakimi nas obdarowano we wsi – dorzuciłam.

– Szkiełko, kapselek, kokardka, kamyk, ołówek... – wymienił Pulpet jednym tchem. Profesor pokiwał głową.

– Początkowo Baba-Jaga wypierała się znajomości ze smokami. Długo musiałem ją przekonywać, że nie tylko nie zamierzam zrobić im krzywdy, ale jestem wręcz entuzjastą smoków. Problem polega na tym, że nikt nie wie, gdzie ich szukać. Pojawiają się i znikają, kiedy zechcą. Ilekroć próbowano je śledzić – gubiły „ogon" bez problemu. Rozmawiałem z kilkunastoma osobami – nikt nie był w stanie mi pomóc.

Kazio wyglądał na zawiedzionego. Pulpet także zwiesił nos na kwintę. Tylko Jagusia była dobrej myśli.

– Jutro ukażą się gazety i wywiad w telewizji. Może to coś zmieni.

I rzeczywiście – nazajutrz stanęliśmy w osłupieniu przed witryną wiejskiego kiosku z gazetami. Z niemal każdej okładki wyzierały nasze portrety. Czy to „Magazyn Wędkarski", „Wzorowa Gospodyni", czy „Mój Pies" – każda redakcja znalazła pretekst, żeby opublikować nasze fotografie.

– Siostra! Jesteśmy, za przeproszeniem, CELEBRYTAMI! – oświadczył Pulpet, kiedy już ochłonął.

– Noooo! Niech się Doda schowa – przytaknęłam.

Profesor Ciurlescu kupił stertę gazet i wróciliśmy do obozowiska.

Reszta przedpołudnia upłynęła nam na mozolnym przekładaniu tekstów na język polski z użyciem automatycznego tłumacza w laptopie profesora. Co dało nieoczekiwane efekty. Na przykład zdanie, które – według profesora – brzmiało: „Smoki nie przejawiają skłonności do agresji, przeciwnie – chętnie zawierają nowe znajomości", w przekładzie komputerowej maszynki oznaczało ni mniej, ni więcej tak: „Smoki nie są wyświetlane na skłonność do agresji, a wręcz przeciwnie – gotów do zatrzaskiwania nowej wiedzy".

– Pulpet, od kiedy to ty nie jesteś wyświetlany na skłonność? – nabijałam się z brata.

– Nie dłużej, niż ty jesteś zatrzaskiwana do wiedzy – odparował.

Kiedy bateria w laptopie padła i skończyło się surfowanie po Internecie, Jagusia wręczyła nam wiaderko i wysłała do lasu na poziomki.

– Tylko nie oddalajcie się od ścieżki – upomniała, na co wymieniliśmy z Pulpetem rozbawione spojrzenia. Tak jest, zastępcza mamusiu!

Problem w tym, że oddalanie się od ścieżki jest najfajniejsze. Zwłaszcza kiedy szukasz poziomek, które, jak na złość, nie chcą rosnąć na środku leśnego duktu.

Pulpet szedł przodem. Ilekroć podniosłam głowę – widziałam zielony łebek mojego brata, pochylony nad poziomkowymi krzaczkami. Szeleścił w paprociach, a suche patyki trzeszczały pod jego stopami.

Nagle zamilkł i znieruchomiał. Nosem wycelował w koronę drzewa i nasłuchiwał. Podeszłam bliżej.

– Ktoś rzuca we mnie szyszkami – szepnął.

– Wiewiórka?

– Jeśli to wiewiórka, to bardzo szczególna. Umie chichotać.

W tym momencie ja także usłyszałam cichutki śmiech wysoko w górze.

– Hej, jest tam kto? – krzyknął Pulpet. Głos miał piskliwy i wystraszony.

W odpowiedzi dwie szyszki, jedna po drugiej, ugodziły nas w nosy.

– Wrrrrr! – wściekł się Pulpet i bezsilnie próbował potrząsnąć grubą sosną.

A wtedy z góry spadł papierowy pocisk i huknął go w czubek głowy.

Podniosłam kulę z ziemi.

Gazeta!

Rozwinęłam. W osłupieniu patrzyliśmy na naszą wspólną fotografię na okładce dzisiejszego wydania „Głosu Transylwanii".

– Oczytana ta „wiewiórka" – syknął Pulpet przez zęby.

Przez chwilę staliśmy w milczeniu, gapiąc się w nieprzeniknioną, gęstą koronę drzew. Z góry dobiegały odgłosy szurania, chrobotania...

Nagle ukazał się ogon. Pokryty łuską OGON! W innym odcieniu niż nasze – brunatny i ubłocony. W ślad za ogonem po pniu ześlizgnęła się zwinnie nieduża postać. Zeskoczyła z drzewa tuż przed nami i ujęła się bezczelnie pod boki.

– Czołem, głupki! – najczystszą polszczyzną odezwał się „balaur".

Mierzyliśmy go wzrokiem, z mieszaniną irytacji i zachwytu. Chociaż przywitanie nie było zbyt serdeczne, to przecież przed nami stał PIĄTY ze znanych nam smoków. A być może nie ostatni.

Był odrobinę niższy od nas, nie tak jaskrawozielony i bardziej napakowany. Poza tym miał wesoły, arogancki pyszczek i przerwę między dwoma przednimi zębami.

– Gdzie się nauczyłeś polskiego, Chrobotku Reniferowy? – zapytał Pulpet, sądząc, że koleś nie zna polskich nazw botanicznych.

– Nie twój interes, Kościotrupku Parzystoręki – odpalił tutejszy bez namysłu.

Zamurowało nas. W środku rumuńskich Karpat napotkany w lesie smok gada po polsku nie gorzej od nas!

Przez chwilę przyglądaliśmy się sobie z udaną obojętnością, ale widać było, że tutejszy jest nas ciekaw. A i my jego.

– Chcesz poziomkę? – Wyciągnęłam kubełek w stronę „balaura".

– Phi! – Wzruszył ramionami. – Po drugiej stronie strumienia rosną lepsze.

– Pokażesz?

– Czemu nie? Mogę pokazać – powiedział i ruszył przodem.

Szliśmy dobry kwadrans w głąb lasu. Wkrótce stało się jasne, że bez pomocy tutejszego nie jesteśmy w stanie wrócić do obozu. Przeprawiliśmy się wpław przez strumień i maszerowaliśmy dalej.

Warto było. Przed nami otworzyła się polana aż czerwona od poziomek. Pulpet zerwał jedną i uniósł w dwóch palcach. Była soczysta i wielka jak truskawka.

– Kurza noga! Macie tu żywność modyfikowaną genetycznie?! – zapytał tutejszego.

– Spoko! Bez pestycydów, bez konserwantów... – oznajmił smok. A kiedy Pulpet rozgniótł poziomkę na języku, dodał: –Wyłącznie smoczy nawóz.

– Tfuuuu!

– Tylko mi nie mów, że nie słyszałeś o pożytkach z nawożenia, miastowy głupku! – uśmiał się t u t e j s z y.

– Nazwij mnie jeszcze raz głupkiem, a przerobię cię na wykwintną damską galanterię ze smoczej skórki! – zdenerwował się Pulpet.

T u t e j s z y najwyraźniej uznał, że przesadził, bo kucnął na piętach i w milczeniu przyglądał się, jak napełniamy kubełek poziomkami.

– Mieszkasz tu? – zapytałam niezbyt mądrze.

– Mhmmm. Tu... tam... różnie – odpowiedział ostrożnie.

– Jest was więcej?

– Jasne. – Skinął głową, jakby to było oczywiste. – Jesteśmy najliczniejszym rodem smoków w Europie.

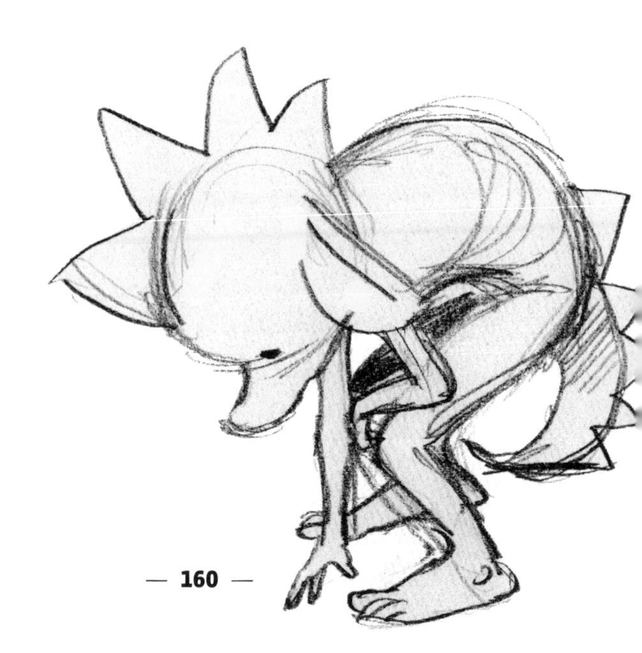

Popatrzyliśmy na siebie z Pulpetem... *Yeees*! *Yes*! *Yes*! NARESZCIE!!!!

Będziemy mieli krewnych i znajomych. Kuzynów i ciotki! Nareszcie ktoś, komu nie trzeba wyjaśniać od pieca, kim są smoki i czym się różnią od ludzi!

Tutejszy, początkowo niechętnie, zaczął odpowiadać na nasze pytania.

Na imię ma Drak. Od Draculi. Nie dlatego, żeby rodzice mieli sentyment dla wampirów, ale z powodu zębów – Drak urodził się z lekko wystającymi kłami i szczerbą między jedynkami.

Jest trochę młodszy od nas, ale daleko bardziej zwinny i samodzielny.

Ma braci i siostry.

– Ile?

– Hmmm... Dużo – odpowiedział wykrętnie.

W drodze powrotnej do obozowiska truchtaliśmy za nim zziajani, podczas gdy Drak zasuwał jak torpeda, bez wysiłku, raz po raz spoglądając na nas z pobłażaniem.

– Jesteś pewien, że dobrze idziemy? – zapytałam.

– Spoko. Mam GPS-a.

Zatkało nas.

Koleś ma dżi-pi-esa????!!! W środku rumuńskiej puszczy?!

– Eeee... Na korbkę? – zapytał Pulpet

– Baaaaardzo śmieszne – odpowiedział Drak z przekąsem.

A po chwili rzucił od niechcenia przez ramię:

– Mamy baterie słoneczne, ośla łąko.

Szliśmy w milczeniu, posapując. Niemal słyszałam, jak w głowie mojego brata pracują gorączkowo malutkie trybiki.

Czuliśmy się głupio. Nasze wyobrażenie o tutejszych smokach wzięło w łeb. Spodziewaliśmy się zobaczyć dzikusa. Smoka Tarzana, który ledwo składa słowa i czochra się po zmierzwionym łbie. Kiedy Drak zszedł z drzewa, ten wyimaginowany obraz jeszcze się wzmocnił. Oto – wyobrażaliśmy sobie – nieokrzesany kuzyn, którego nauczymy jeść nożem i widelcem, smarkać w chustkę...

Tymczasem koleżka nie tylko zna nowe technologie, lecz także mówi biegle po polsku, a nawet zgapił „oślą łąkę” – epitet, którego używamy z bratem często i chętnie. Wie o nas – skubany – więcej, niż mogłoby się wydawać.

– A tak serio... Gdzie się nauczyłeś polskiego? – zapytałam.

Drak wzruszył ramionami.

– Radio internetowe. My, smoki, uczymy się obcych języków piorunem. Mamy genialną pamięć. – A po chwili dodał: – Oczywiście, każda reguła ma... ehmmm... WYJĄTKI. – Spojrzał na nas, jakbyśmy to MY byli tymi wyjątkami.

Drzewa przerzedziły się, dochodziliśmy do skraju lasu. Drak zwolnił i przystanął.

– Dalej traficie sami. Stąd widać dym z waszego ogniska – powiedział, po czym obrócił się na pięcie, jakby zbierał się do drogi.

Pulpet osłupiał.

– Zaraz, zaraz! My mamy mnóstwo pytań... Chyba nie znikniesz tak po prostu... Nie po to przejechaliśmy pół Europy, żeby raptem nazbierać kubełek poziomek na smoczym nawozie...

Ale Drak tylko zaprezentował swoją szczerbę między zębami w szerokim uśmiechu. Smyrgnął w krzaki... i już go nie było.

Staliśmy tak przez chwilę, z nieszczęśliwymi minami, patrząc po sobie w zdumieniu. A potem, noga za nogą, wróciliśmy do obozowiska.

Ciurlescu podniósł głowę znad kociołka z zupą fasolową. Rąbkowie od razu zauważyli, że coś nie gra.

Klapnęliśmy ciężko przy ognisku. Od słowa do słowa, opowiedzieliśmy o spotkaniu z Drakiem.

Na twarzach profesora Ciurlescu i doktora Rąbka radość mieszała się z rozczarowaniem. Radość – bo potwierdziły się ich nadzieje. A rozczarowanie – bo dopóki Drak nie zechce objawić się z własnej woli, nie ma szansy na kontakt ze smokami. Nikt z nas nie zamierza organizować obławy ani narzucać się rumuńskim kuzynom.

Bez entuzjazmu wiosłowaliśmy w talerzach z fasolówką. Nawet poziomki z jogurtem nie zdołały poprawić nam humorów.

– Niby krewny, a taki nieużyty! – złościł się Pulpet. – A ja byłem gotów podzielić się z nim moją kolekcją znaczków z gadami. – Wysmarkał hałaśliwie nos w chustkę. – Doooobra, bez łachy, obejdzie się... Nie był nawet ciekaw, gdzie mieszkamy. A przecież Wawel to nie to samo co jakieś transylwańskie krzaki.

– Wściekasz się, bo chciałeś poszpanować, a tymczasem publiczność dała nogę – wypaliłam bezlitośnie.

– Jeszcze się będzie prosił, żebym mu przysłał pocztówkę z Krakowa! – plótł rozżalony Pulpet.

Po obiedzie Rąbkowie zrobili we wsi zakupy na kolejne trzy dni. Tyle możemy tu zostać, zanim obowiązki nie wezwą profesora Ciurlescu na uczelnię.

Nazbierałyśmy z Jagusią ogromne wiechcie ziół i kwiatów i uplotłyśmy z nich pachnące wianki. Pulpet odmówił pomocy. Z pasją rzeźbił z patyka małego smoka, zasmucony i nadęty. Nie ruszył się nawet, żeby pomóc przy kolacji.

Zapadł zmierzch, cieniutki księżyc wisiał nad lasem. Zawinięci w koce, siedzieliśmy wokół ogniska. Rąbkowie śpiewali właśnie z profesorem *Mamma mia* na głosy, kiedy w cieniu, poza kręgiem światła, coś się poruszyło. Trzasnęła sucha gałązka.

Kazio umilkł, poderwał się na równe nogi i dał nura do namiotu po latarkę. Ale zanim ją znalazł, z ciemności wynurzył się Drak.

Uśmiechnięty bezczelnie, stanął obok nas i zapytał:

– Można się przysiąść?

– Jasne – odpowiedziałam piskliwie, bo głos uwiązł mi w gardle.

A wtedy Drak skinął w stronę lasu.

Suchy konar w ognisku zajął się ogniem, płomień strzelił w górę. Zrobiło się jaśniej.

I wtedy zobaczyliśmy kolejnego smoka. Był duży i dorosły.

Za nim dreptały dwa następne, całkiem małe.

I jeszcze następne...

Podchodziły i – skinąwszy na powitanie głowami – bez słowa siadały wokół ognia. Siedem, osiem, dwanaście... straciłam rachubę.

Gapiliśmy się na nie w osłupieniu. Głowa doktora Rąbka wystawała z namiotu, a minę miał... taką... taką... idiotyczną.

Po chwili otoczył nas pierścień zielonych głów. Dużych i małych. Jasnozielonych jak limonka i zielonobrunatnych. Paciorkowate oczy przyglądały nam się badawczo i z rozbawieniem, jakby uważali, że zrobili nam świetny kawał.

Krępującą ciszę przerwał Drak:

– Eeee, Pulpecie! – powiedział. – Podobno masz jakieś fajne znaczki z gadami?

Kochani Rodzice,

Mamy wam TYLE do powiedzenia, że to się w głowie nie mieści. Pulpet nalegał, żeby Wam zrobić niespodziankę, ale ja już nie mogę wytrzymać.

Muszę powiedzieć:

Znaleźliśmy rodzinę!

Jest ich ze sześć tuzinów. Próbowałam ich policzyć, ale za każdym razem wychodzi mi inny wynik, bo się rozłażą i wiercą. Mali, duzi, małomówni i wyszczekani... Połowa mówi po polsku. Możecie fantazjować do woli, z którymi z nich jesteśmy spokrewnieni. Zresztą... Profesor Ciurlescu ustali to ponad wszelką wątpliwość.

Nie są to żadne leśne kmiotki w żołędziowych czapeczkach – przeciwnie, same bystrzaki. Jest wśród nich kilku niezłych wymiataczy komputerowych.

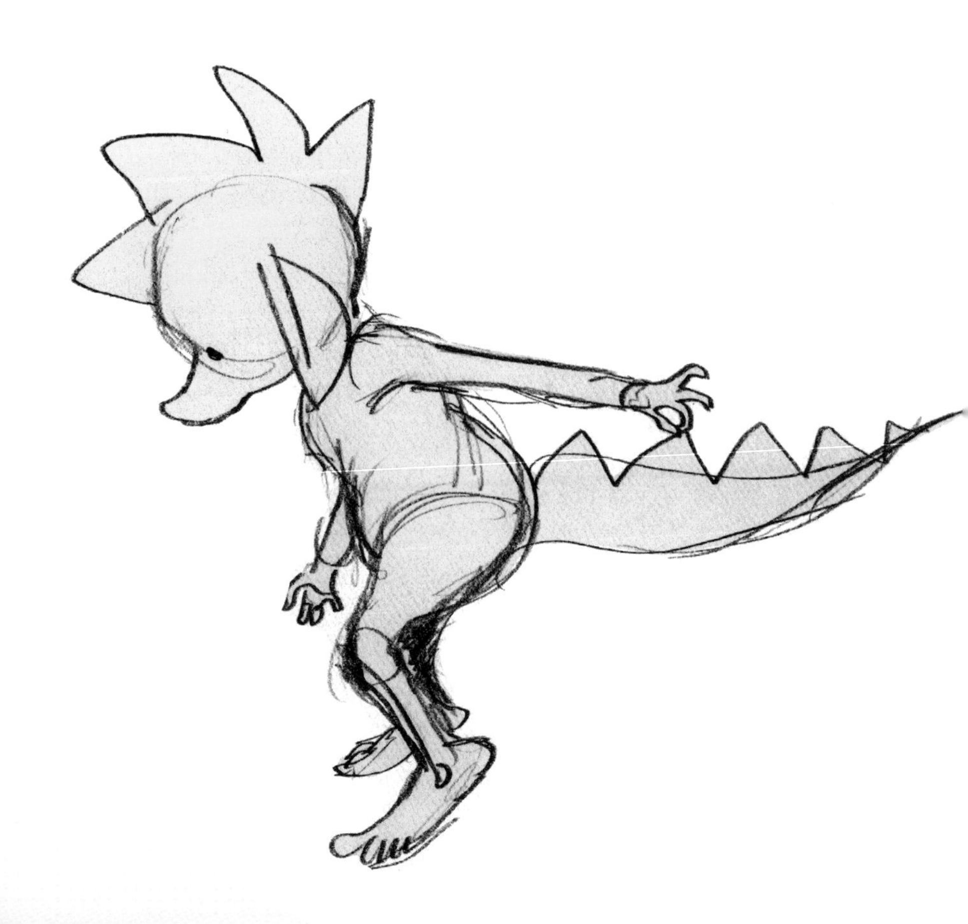

Smoki rumuńskie są mistrzami kamuflażu – od wielu lat udaje im się unikać rozgłosu. W kontaktach z cywilizacją pomagają im Cyganie z zaprzyjaźnionego taboru, którzy potrafią dochować tajemnicy.

Największa niespodzianka polega na tym, że tutejsze smoki od dawna były z nami w kontakcie na Facebooku, podszywając się pod „ludzkich" znajomych. I tak na przykład „Ela Bibliotekarka", z którą najczęściej wymieniałam na Facebooku posty, okazała się Drakiem – bardzo fajnym smokiem, mniej więcej w naszym wieku. A fejsbukowicz o przezwisku „Pan Tom" to brat Draka – Vlad, czteroletni smok, zdolny piłkarz, na dodatek poeta i haker. Nic dziwnego, że znali różne nasze sekrety :)

Początkowo wściekłam się na Draka, ale potem wybaczyłam mu to oszustwo, bo przecież dzięki niemu doszło do naszego spotkania.

Okazało się, że Drak od dawna wiedział o naszym istnieniu – bez trudu przeczesał Internet i znalazł artykuły prasowe na nasz temat. Umiejętnie podsyłał Pulpetowi różne informacje na temat smoków, żeby podsycić jego ciekawość i doprowadzić do tej podróży.

Pewnie się zastanawiacie, jak to możliwe, że mieszkając w górach, tutejsze smoki mają dostęp do Internetu i prądu. Ha! Jest wśród nich kilku utalentowanych wynalazców – już dwadzieścia lat temu skonstruowali własną elektrownię wiatrową. Mają baterie słoneczne i niewielką siłownię wodną na strumieniu, w niedostępnej części lasu. Zarabiają na różnych usługach internetowych i niczego im nie brakuje (poza naszym towarzystwem). Mają też małą przetwórnię runa leśnego i sklep internetowy, gdzie sprzedają ekologiczną żywność.

Rzecz jasna, na razie nie dopuszczają nas do wszystkich swoich sekretów, ale przecież nie ostatni raz się widzimy – profesor Ciurlescu obiecuje, że ułatwi nam podróże przez granice. Drak i Vlad zamierzają przyjechać do nas na Gwiazdkę, jeśli nie będziecie mieli nic przeciwko temu.

Już się nie mogę doczekać, kiedy powiem Gniewkowi i Malwinie, że mają kupę przybranego rodzeństwa!!! Za tydzień ruszamy w podróż powrotną. Macie trochę czasu, żeby oswoić się z myślą, że nie jesteśmy tacy unikalni, jak nam się wydawało.

Sărutări, co po rumuńsku znaczy: Całusy!

Wasza Prudencja